LONG-AGO STORIES OF JAPAN
vol.1

Carla Valentine

Level 1
(1000-word)

IBC パブリッシング

はじめに

　ラダーシリーズは、「はしご (ladder)」を使って一歩一歩上を目指すように、学習者の実力に合わせ、無理なくステップアップできるよう開発された英文リーダーのシリーズです。

　リーディング力をつけるためには、繰り返したくさん読むこと、いわゆる「多読」がもっとも効果的な学習法であると言われています。多読では、「1. 速く　2. 訳さず英語のまま　3. なるべく辞書を使わず」に読むことが大切です。スピードを計るなど、速く読むよう心がけましょう（たとえば TOEIC® テストの音声スピードはおよそ1分間に150語です）。そして1語ずつ訳すのではなく、英語を英語のまま理解するくせをつけるようにします。こうして読み続けるうちに語感がついてきて、だんだんと英語が理解できるようになるのです。まずは、ラダーシリーズの中からあなたのレベルに合った本を選び、少しずつ英文に慣れ親しんでください。たくさんの本を手にとるうちに、英文書がすらすら読めるようになってくるはずです。

《本シリーズの特徴》

- 中学校レベルから中級者レベルまで5段階に分かれています。自分に合ったレベルからスタートしてください。
- クラシックから現代文学、ノンフィクション、ビジネスと幅広いジャンルを扱っています。あなたの興味に合わせてタイトルを選べます。
- 巻末のワードリストで、いつでもどこでも単語の意味を確認できます。レベル1、2では、文中の全ての単語が、レベル3以上は中学校レベル外の単語が掲載されています。
- カバーにヘッドホーンマークのついているタイトルは、オーディオ・サポートがあります。ウェブから購入／ダウンロードし、リスニング教材としても併用できます。

《使用語彙について》

レベル1：中学校で学習する単語約1000語

レベル2：レベル1の単語＋使用頻度の高い単語約300語

レベル3：レベル1の単語＋使用頻度の高い単語約600語

レベル4：レベル1の単語＋使用頻度の高い単語約1000語

レベル5：語彙制限なし

CONTENTS

Momotaro 1

The Crane Gives Back 21

Kachi Kachi Mountain 35

Grandfather Flowers 51

Issun Boshi.................................... 67

Word List 82

Momotaro

読みはじめる前に

Momotaro
桃太郎

Momotaro で使われている用語です。わからない語は巻末のワードリストで確認しましょう。

- [ ] aboard
- [ ] armor
- [ ] bob
- [ ] bow
- [ ] brush
- [ ] drum
- [ ] jewel
- [ ] oar
- [ ] peach
- [ ] pray
- [ ] prepare
- [ ] sweet
- [ ] sword
- [ ] treasure
- [ ] tub

登場人物・用語解説

old man (Grandfather) おじいさん 山へ芝刈りにでる。

old woman (Grandmother) おばあさん 川で洗濯の途中、大きな桃を見つける。

Momotaro (Peach Boy) 桃太郎 桃から生まれた男の子。

demon 鬼 宝物を盗み、村人たちを脅かしている。

dog 犬 桃太郎の供となり、鬼に噛み付く。

monkey 猿 桃太郎の供となり、鬼を引っ掻く。

pheasant キジ 桃太郎の供となり、鬼の目を突く。

Demons Island 鬼が島

millet dumpling きびだんご

Long, long ago somewhere, there lived an old man and woman. The old couple's house stood between a mountain and a river. Each day, the old man went up the mountain to cut wood, and the old woman went down to the river to wash clothes.

One day, as always, the old woman was down at the river. When she finished the wash, she looked up and saw a great big peach. The peach was bobbing and rolling in the water. It was heavy and round and pink, and it looked delicious. But it was just out of reach.

"Come over here!" the old woman called out. "The water's sweeter over here!"

And, sure enough, the great peach began to move toward her. It bobbed and rolled and rolled and bobbed, straight into her arms. The old woman pulled the peach out of the water and smiled. She couldn't wait to share this wonderful fruit with her husband.

That evening, as always, the old man came home with a load of wood on his back. When his wife showed him the peach, he couldn't believe his eyes. He picked it up and held it in both hands.

"Look at the size of it!" he said. "Let's

eat it while it's fresh!"

He placed the peach on the table and picked up a knife. But just then the peach began to move.

"What's happening?" said the old woman.

"It's alive!" her husband shouted.

Suddenly the peach broke in two, and a healthy baby boy jumped out!

"WAAAAAH!" cried the baby, with a voice as loud as a drum.

The old man and woman were, of course, very surprised. But they were also very happy.

"We always prayed for a child of our own!" the old woman said.

"He's a gift from the gods!" said her husband. "Let's prepare his first bath!"

The old man made a fire and heated some water. When he filled the tub, his wife reached for the baby. But the baby pushed her away and climbed into the hot water all by himself.

"Such power!" the old couple laughed and looked at each other.

"What shall we name him?" the old woman said.

"Well, he was born from a peach," said the old man. "So let's call him Momotaro."

Thanks to the old couple's loving care, the "Peach Boy" grew up healthy and strong. Even when he was little, Momotaro was the best sumo wrestler in the village. By the time he was twelve, no man in all of Japan could throw him. And yet he was the sweetest, kindest boy in the land.

Momotaro was only fourteen when he went before the old man and woman and bowed deeply.

"Grandmother, Grandfather," he said.

"I must leave you for a while."

"What?" said the old woman. "But where will you go?"

"To Demons Island."

"Demons Island?" cried the old man. "Whatever for?"

"To fight the demons," said Momotaro, "and bring back all the treasure."

In those days, you see, demons often came to Japan. They pushed the people around and took away their gold and silver and jewels. Everyone was afraid of them.

"But Demons Island is so far!" said the old man.

"And so dangerous!" said the old woman.

"Please don't worry," said Momotaro.

"I'll be home with the treasure in no time."

The old man and woman didn't want their boy to go, but they knew they couldn't stop him. Momotaro always followed his dreams. So the old man gave him a sword and a suit of armor, and the old woman made him some millet dumplings—his favorite food. She also made a flag for Momotaro to carry. On the flag was a picture of a peach and the words *Nippon Ichi*.

That means "Number One in Japan."

The Peach Boy tied the bag of millet dumplings to his belt, held the flag high, and set out on his journey. He soon left the village behind and started up the mountain.

Now he was climbing the mountain pass. Suddenly a dog came out of the brush.

"*Arf! Arf!* Where are you going, Momotaro?"

"To Demons Island, to fight the demons."

"Interesting! What's in the bag?"

"The best millet dumplings in all Japan."

"Give me one—*Arf!*—and I'll go with you!"

"Here you are, friend. Now follow me!"

Now Momotaro and the dog were marching through a forest. Suddenly a monkey climbed down from a tree.

"*Key! Key!* Where are you going, Momotaro?"

"To Demons Island, to fight the demons."

"Interesting! What's in the bag?"

"The best millet dumplings in all Japan."

"Give me one—*Key!*—and I'll go with you!"

"Here you are, friend. Now follow me!"

Now Momotaro and the dog and monkey were marching across a wide green plain. Suddenly a pheasant flew down from the sky.

"*Whirr! Whirr!* Where are you going, Momotaro?"

"To Demons Island, to fight the demons."

"Interesting! What's in the bag?"

"The best millet dumplings in all Japan."

"Give me one—*Whirr!*—and I'll go with you."

"Here you are, friend. Now follow me!"

Now Momotaro and the dog and monkey and pheasant were marching down to the sea. A fine ship was waiting there on the beach.

"All aboard!" said Momotaro. "We'll sail the ship to Demons Island!"

It was a fine day, with a good wind. The ship raced like an arrow across the deep blue sea. The dog was rowing, the monkey was steering, and the pheasant was standing watch. Before very long, the pheasant called out:

"*Whirr! Whirr!* I see an island!"

Momotaro ran to the bow. He could

just make out the high black walls of Demons Castle.

"That's it!" he shouted. "Demons Island dead ahead!"

The dog pulled on the oar—*Arf! Arf!* The monkey held the ship steady—*Key! Key!* And the pheasant flew ahead to the island.

The demons on the beach didn't see the pheasant. But they saw the ship, and they were very afraid. They ran inside their castle and locked the big black gate. When the ship landed, Momotaro and the dog and monkey jumped out. They marched right up to the castle.

"Open up!" the dog shouted and kicked at the gate. "Open up, or prepare for war!"

The demons pushed against the gate from inside, to hold it closed. But the pheasant flew down from the castle tower and pecked at their eyes.

"It hurts!" the demons cried. "Run for your lives!"

Now it was the monkey's turn. He climbed over the wall and opened the gate from inside.

"Momotaro of Japan!" the dog called out as the Peach Boy marched into the grounds.

The King of Demons stepped out of the castle to meet them. He had ten or twelve of his biggest, strongest demons with him. All of them carried iron clubs.

"Who do you think you are?" said the king.

"I'm Momotaro of Japan. And I've come to take back our treasure."

"Not without a fight, you won't!" The king held up his club.

"As you wish," said Momotaro, and the fight began.

Demons are big and mean, but they're weak of heart. The pheasant flew from one to another—*Whirr! Whirr!*—and pecked at their eyes. The dog ran from one to another—*Arf! Arf!*—and bit their legs. And the monkey jumped from one to another—*Key! Key!*—and scratched their faces. Before very long, the demons all threw down their clubs and ran away in tears.

The only one left was the king himself. He stepped forward and tried to hit Momotaro with his club. But Momotaro jumped out of the way and threw him to the ground. Then he locked the king's head in his powerful arm.

"Stop! I give up!" cried the king. "You win, Momotaro! Please don't kill me! You can have the treasure!"

Finally Momotaro let go. The king got down on all fours and thanked him again and again. Then he ordered his demons to fill a cart with all the gold and silver and jewels in the castle. They loaded the cart on the ship.

"We'll never bother your people again!" the King of Demons promised.

"See that you don't," said Momotaro.

And he and the dog and monkey and pheasant jumped on the ship and sailed for home.

Back home, the old man and woman were waiting for their Peach Boy.

"I hope he's all right," the old woman said. "Oh, when will he return?"

"Look!" said the old man. "Here he comes now!"

Momotaro was marching down the hill toward the village. Behind him, the dog and monkey were pulling a cart full of gold and silver and jewels. Above the cart, in the clear blue sky, the pheasant flew in circles.

"That's our boy!" cried the old man. "We knew you could do it, Momotaro!"

"We're so glad you're safe!" the old woman said.

Everyone cheered, and the cherry trees were blooming.

The Crane Gives Back

読みはじめる前に

The Crane Gives Back
鶴の恩返し

The Crane Gives Back で使われている用語です。わからない語は巻末のワードリストで確認しましょう。

- [ ] arrow
- [ ] circle
- [ ] company
- [ ] continue
- [ ] discover
- [ ] feather
- [ ] invite
- [ ] knock
- [ ] promise
- [ ] secret
- [ ] serve
- [ ] snowy
- [ ] spread
- [ ] weave
- [ ] wing

登場人物・用語解説

young man 若い男　傷ついた鶴を見つけ、助けてやる。
crane 鶴　羽を矢で射抜かれ、雪の上に倒れている。
young woman 若い娘　路に迷い男の家に助けを求める
rich man 金持ちの男　布をもっと欲しがる。

loom 織り機

Once upon a time, a poor young man lived in a little house in the mountains. His parents were both dead now, and the young man was very lonely. Each day he walked through the forest and collected wood. He sold the wood in the nearest town, and made just enough money to get by.

It was a morning in early winter. The young man was walking through the snowy woods, when he heard something strange. It sounded like a cry of pain. He followed the sound until he discovered a beautiful white crane. She was lying in the snow, with an arrow through her wing.

"You poor thing!" the young man said. "Who did this to you?"

He held the crane in his arms and gently pulled the arrow out. Then he cleaned her wing, set her down in the snow, and stepped back. The crane spread her wings and rose up into the air. She circled above the young man once, cried out, and flew off into the clouds.

Late that night, the young man was sitting by his fire at home. Outside, the weather was very bad. The sky was white with snow, and a strong wind was blowing. Suddenly there was a knock at the door. When the young man opened it, he was very surprised. A beautiful young woman was standing on the front step.

"I have lost my way," she said. "May I spend the night here?"

"Of course!" said the young man. He

invited her in, gave her a seat by the fire, and served her some hot soup.

"Thank you so much," she said. "You're very kind."

"You're most welcome," he told her. "Please stay as long as you like."

In fact the bad weather continued, and the woman stayed for many days. She helped with the cleaning and cooking, and she was very good company for the young man. He often thought how sad he would be when she left. But then, one morning, she came to him and said:

"Please take me as your wife."

The young man's face turned bright red.

"I'm a poor man," he said. "I can't give

you a good life."

"I don't care if we're poor," she told him, "as long as we can be together."

And so they married.

They were very happy as man and wife. But it was a long, cold winter. Now New Year's was coming, and they had no money and very little food. One day, the young man told his wife that he was worried.

"How will we eat?" he said.

His wife thought for a while before speaking.

"There is an old loom in the little room in back," she said.

"Yes," he said. "It was my mother's."

"I want to use it to weave some cloth,"

she told him. "But you must promise me one thing. Never look into that room when I'm weaving. This is very important. Please promise."

The young man thought this strange, but he gave her his word. His wife went into the little room and closed the door. And there she stayed for the next three days. The young man didn't see her in all that time, but he heard the sound of the loom day and night.

On the third night, his wife finally stepped out of the room. She looked weak and tired. But she smiled as she handed him three rolls of white cloth.

"Please take this to town and sell it," she said.

It was very beautiful cloth—as fine

and soft as the light of the moon. The next day, her husband carried the rolls straight to the house of the town's richest man. And that night he came home with three big bags full of rice.

"My dear wife!" he said. "Thanks to you, we'll get through the winter. And the rich man wants to buy more! Please weave more cloth as soon as you can! Think of the money we can get for it!"

His wife said nothing at first. But then she smiled sadly.

"Of course. I'll begin right away," she said and walked to the door of the little room in back. "But please remember. You must never look in when I'm weaving..."

All that night and all the next day, the young man heard the sound of the loom. But the sound was different this time. It was slower, and heavier. He began to worry about his wife. And then, late in the evening, he heard another sound, like a cry of pain.

Promise or no promise, he had to look into the room.

But what a shock he got when he opened the door! His wife wasn't there, but a white crane was sitting at the loom. The crane looked ill and weak, and many of her feathers were gone. When she looked up and saw the young man, she let out a sad cry. And then, right before his eyes, she turned back into his beautiful wife.

The young man couldn't even speak.

"You..." he said. "You're..."

"Yes," said his wife. "I'm the crane. You saved my life that day, and I wanted to give back. I wanted to help you in return. So I became human...I was happy as your wife, and I learned to love you very much. When you said you needed money for food, I used my feathers to weave the cloth. But then you wanted *more* money..."

"My dear wife!" cried the young man. "I didn't know! If I—"

"My hope was to stay with you forever," his wife said. "But now that you know my secret, it is not to be. I must leave you."

"No!" The young man followed his wife to the front door. "Please don't leave! I don't need money! I only want you!"

His wife stepped outside and turned to look at him sadly.

"I'm sorry," she said. "It is not to be."

And then, right before his eyes, she

turned back into a white crane.

The crane spread her wings and rose up into the air. She circled once in the sky above the young man and let out another sad cry. Then she flew off into the clouds, and he never saw her again.

Kachi Kachi Mountain

読みはじめる前に

Kachi Kachi Mountain
カチカチ山

*Kachi Kachi Mountain*で使われている用語です。わからない語は巻末のワードリストで確認しましょう。

- [ ] bright
- [ ] chestnut
- [ ] crackle
- [ ] devil
- [ ] field
- [ ] fool
- [ ] medicine
- [ ] mud
- [ ] pepper
- [ ] raccoon
- [ ] rafter
- [ ] seed
- [ ] terrible
- [ ] trap
- [ ] untie

登場人物・用語解説

old farmer おじいさん　畑を荒らすタヌキを捕まえる。
wife（Grandmother） おばあさん　タヌキの嘘にだまされる。
tanuki タヌキ　人を困らせてばかりいる。
rabbit ウサギ　おじいさんと仲の良いウサギ。

Mountain in Back 裏山
Mountain in Front 前山
tanuki soup 狸汁（たぬきじる）
mortar 臼（うす）
mallet 木槌
Kachi Kachi Bird カチカチ鳥

Long, long ago, an old farmer and his wife lived in a certain place. Each day the farmer worked hard in his field. And each day a tanuki from the Mountain in Back made his work even harder.

A tanuki looks like a cross between a raccoon and a dog. This animal is famous in Japan for playing tricks on people. And the tanuki from the Mountain in Back was always causing trouble for the old farmer.

Today the farmer was planting.

"One little seed, a hundred meals!" he

sang as he pushed each seed into the ground.

At noon he went inside the house for lunch. And while he was gone, the tanuki ran through the field, dug up all the seeds, and ate them. When the farmer came back outside, he saw the tanuki and shouted:

"You little devil! Get out of my field!"

"A hundred seeds, one little meal!" the tanuki laughed and ran off into the brush.

The farmer was very angry. He loved animals, but enough was enough. He spent the rest of the afternoon making a trap.

The tanuki was good at causing trouble, but he was not very bright. The next morning, the farmer went to check his trap. And, sure enough, there was the tanuki. He was hanging by all four feet at the end of a rope. The farmer carried him into the house and tied the other end of the rope to the kitchen rafters.

"I finally caught this bad tanuki," he told his wife. "Keep an eye on him, and don't fall for any of his tricks. I want tanuki soup for dinner!"

"Very well, dear," she said.

When the farmer went back out to his field, the old woman began working around the house. The tanuki didn't say a word. But his eyes followed her every move.

After a while, the old woman went into the kitchen and put some millet in the mortar. She wanted to make millet cakes to go with the tanuki soup. When she picked up the heavy wooden mallet, to pound the millet, the tanuki finally spoke.

"Grandmother," he said in a sad voice. "I'm sorry I've been such a bad tanuki. I want to do just one good thing before I die. Please let me help you. That mallet is much too heavy for an old woman like you!"

"You can't fool me," the old woman said.

"I'm not trying to fool you, Grandmother," the tanuki said. "I'm happy to be soup for you and the good farmer.

But just once, before I leave this life, I want to do the right thing!"

The old woman had a soft heart, and in the end she believed the tanuki. She untied him and handed him the heavy wooden mallet. But he didn't use the mallet to help the old woman. He lifted it high in the air and brought it right down on her head!

Late that afternoon, the farmer came back home. He was hungry and looking forward to his tanuki soup. But what did he find? His dear wife was dead on the floor, and the tanuki was gone.

The old farmer sat down on the front step. His heart was broken, and he didn't know what to do. He was still sitting there, when the cute little rabbit from the Mountain in Front came along. This rabbit was a close friend.

"What's wrong, Grandfather?" she said.

The farmer told her the whole story. Tears were running down his face. The rabbit cried too.

"That terrible tanuki!" she said. "Don't worry, Grandfather. He won't get away with this!"

The next day, the rabbit walked up the Mountain in Back. As she walked, she filled her basket with pieces of wood. She sat down to rest near the tanuki's hole and began eating chestnuts.

The tanuki smelled the chestnuts and

came outside.

"What are you eating, Rabbit?" he said.

"Chestnuts."

"Can I have some?"

"Yes," said the rabbit. "But please help me first. Can you carry this wood? It's so heavy for me..."

"Gladly!" said the tanuki.

He tied the basket of wood to his back and started down the mountain. The rabbit followed behind him. Soon she began hitting two rocks together: *Kachi! Kachi!* She was trying to set the basket of wood on fire.

"Say, Rabbit," said the tanuki. "What's that 'kachi, kachi' sound?"

"Oh, that's nothing," said the rabbit.

"It's just the Kachi Kachi Bird from Kachi Kachi Mountain."

"Oh, right," said the tanuki. "I already knew that."

Soon a spark from the rocks landed on the wood, and the wood started burning. It crackled as it burned.

"Say, Rabbit, what's that 'crackle, crackle' sound?"

"Oh, that's nothing. It's just the Crackle Crackle Bird from Crackle Crackle Mountain."

"Oh, right," said the tanuki. "I already knew that."

After a while, he began to feel the heat of the fire on his back.

"Say, Rabbit, it's hot today, isn't it?"

There was no answer.

"Rabbit?"

The tanuki turned to look back. He didn't see the rabbit, but he saw the fire.

"Help!" he shouted. "I'm burning!"

And he ran toward the river as fast as he could go.

The next day, the rabbit returned to the Mountain in Back. She was carrying a bag full of red hot pepper paste. The tanuki came out of his hole and stopped her.

"Where did you go yesterday, Rabbit?" he said. "The wood caught fire! It burned all the hair off my back! It hurts!"

"I went to get this medicine," said the rabbit. "It's the best thing for burns."

"Oh, please put it on my back!" said the tanuki.

"Turn around," the rabbit said. She painted a thick coat of pepper paste on the tanuki's burns.

"OH!" shouted the tanuki. "OH! THAT'S HOT!"

"Be strong," the rabbit said and smiled. "I'm sure you'll feel better tomorrow."

And she hurried back down the mountain.

The next morning, the tanuki found the rabbit down by the river. She was building a boat out of wood.

"Hello, Tanuki!" she said. "Do you feel better today?"

"I guess so," said the tanuki. "But last night I was in such pain!"

"That's good," said the rabbit.

"What are you doing?" the tanuki asked her.

"I'm building a boat."

"How come?"

"Well, I want to catch the big fish in the middle of the river."

"Oh! I want some big fish too! Can I

build a boat?"

"Sure," said the rabbit. "But you're much heavier than I am. You should make your boat out of mud."

"Oh, right," said the tanuki. "I already knew that."

So the tanuki took mud from the bank of the river and made a boat. It was shaped like a big bowl. When both boats were finished, the rabbit and the tanuki rode them out to the middle of the river. The water was cold and deep there, and the tanuki's boat of mud began to fall to pieces.

"Help!" he shouted. "Rabbit, save me! I can't swim!"

But the rabbit just turned her wood boat around and headed for land.

The sun was low in the sky when she got back to the old farmer's house. The farmer was sitting on the front step.

"That tanuki will never hurt anyone again," she told him.

The old man said nothing, but put his hand on the rabbit's head. And together they watched the sun go down.

Grandfather Flowers

読みはじめる前に

Grandfather Flowers
花咲か爺さん

Grandfather Flowers で使われている用語です。わからない語は巻末のワードリストで確認しましょう。

- [ ] ash
- [ ] bare
- [ ] bark
- [ ] blossom
- [ ] grave
- [ ] greedy
- [ ] jail
- [ ] march
- [ ] mean
- [ ] neighbor
- [ ] pine
- [ ] pound
- [ ] tie
- [ ] treasure
- [ ] trunk

登場人物・用語解説

kind old man and woman 親切なおじいさんとおばあさん
　犬のシロを我が子のようにかわいがっている。

Shiro シロ　おじいさんの畑で、何かを見つける。

mean old man and woman 意地悪なおじいさんとおばあさん
　隣の幸せがうらやましくてたまらない。

lord 殿様　花を咲かせている先を通りかかる。

hoe 鍬（くわ）（で掘る）
axe 斧（おの）

Long, long ago, a kind old man and woman lived in a little village somewhere. Sadly, these nice old people had no children. But they had a dog they loved very much. The dog was white, and his name was Shiro. Shiro was almost like a son to the kind old couple.

Now, another old man and woman lived next door. And this old man and woman were not so nice. In fact, they were greedy and mean. They cared only about themselves, and they didn't like their neighbors. They didn't like Shiro, either. Sometimes they even threw rocks at the poor dog.

One day, as always, the kind old man went out to work in his field. Shiro went with him. The old man turned the ground with his hoe, while Shiro ran around and enjoyed all the different smells. Suddenly Shiro stopped in one corner of the field, under a big tree, and started to bark.

"Hoe here! *Arf! Arf!* Hoe here!"

"What is it, Shiro?"

When the kind old man dug into the ground in front of Shiro, his hoe hit something hard. It was a heavy wooden box. And, to the old man's great surprise, the box was full of gold coins!

Thanks to Shiro, the kind old man and woman were now rich. When the mean old man next door heard about this, he was not happy. His wife wasn't happy either.

"Why should those old fools have all the luck?" she said to her husband. "Go get that dog! He can find some treasure for us too!"

"Good idea," said the mean old man. He marched right next door, tied a rope around Shiro's neck, and pulled the poor dog out to his field.

"There must be treasure here too," he said. "Find it!"

The rope hurt Shiro's neck, and finally he let out a cry and fell down.

"This is the place, is it?" the mean old man said and started digging. He dug and dug, and finally he broke through to soft mud. He reached in with both hands, but he didn't find any gold—just mud and waste and strange little bugs. A terrible smell filled the air.

The mean old man was very angry. He

jumped up and down and shouted at Shiro, and finally he picked up his hoe. He lifted it over the poor dog's head and brought it down as hard as he could. Shiro gave one little cry and died.

When the kind old man and woman found out about this, they were very sad. Both of them cried as they carried Shiro's body home. They dug a grave for him in one corner of their garden. Then they planted a little pine tree on top of the grave.

And what do you think happened next? The tree began to grow, right before their eyes. It grew and grew and grew, until it was taller than the house and too big to reach around.

"It's a present from Shiro!" the kind old man said. "With all this wood, we can cook and keep warm for the rest of our lives. And what a beautiful mortar the trunk will make!"

"Oh, yes! Please make a mortar, dear," said the kind old woman. "We can use it to prepare rice cakes. Shiro always loved rice cakes!"

So the old man cut the tree down and made a mortar out of the trunk. When it was ready, he brought it into the kitchen. The old woman put some rice in the bowl of the mortar, and they each picked up a mallet.

"This is for you, Shiro!" they said and began pounding the rice. And what do you think happened? Each time they lifted their mallets, they saw more rice in the mortar. In no time at all, the mortar was full, and still the rice kept coming. Soon the whole kitchen was filled with rice.

"It's a present from Shiro!" said the kind old woman. "Now we'll never be hungry again!"

When the mean old woman next door heard about this, she was very angry. Her husband was angry too.

"Why should those old fools have all the luck?" he said. "I'm going to borrow that mortar!"

And he marched right next door, turned the mortar over, and rolled it to his house. He set it up in the kitchen, and his wife put some rice in the bowl. Then they both picked up mallets and started pounding. And in no time at all, the mortar was full—of mud and waste and strange little bugs! A terrible smell filled the house.

The mean old couple were very angry. They jumped up and down and shouted, and finally the mean old man picked up his axe. He cut the mortar into little pieces and threw them in the fire.

When the kind old man came to get his mortar, nothing was left but ashes. He filled a basket with the ashes and sadly carried it home.

"We should leave the ashes on Shiro's grave, dear," said his wife.

The kind old man agreed. But when

he stepped outside, a sudden wind came along. It blew some of the ashes on to the fruit trees. And what do you think happened next?

It was the middle of winter, and all the trees were dead and bare. But when the ashes landed on them, the trees were suddenly covered with flowers.

"The ashes turned to blossoms!" cried the kind old woman.

"It's another present from Shiro!" the old man laughed.

He was so happy that he did a little dance. Then he carried the basket out into the village. As he walked along, he threw ashes into the air. Plum trees, peach trees, and cherry trees flowered behind him.

"I'm Grandfather Flowers!" he cried. "My ashes turn to blossoms!"

Now, just at that time, a great lord happened to be passing through the village. He and his men were riding their horses back to the castle after a long trip.

"What is the meaning of this?" his lordship asked the kind old man. "Why do you call yourself Grandfather Flowers?"

"I'll gladly show you, your lordship."

The kind old man climbed a dead cherry tree. He threw some of the ashes into the air, and suddenly the tree was full of flowers.

"Wonderful!" cried his lordship. "Give this old man a bag of gold coins!"

Just then, the mean old man ran up. He took the basket from his neighbor.

"I burned the wood to make these ashes!" he shouted. "That gold belongs to me! I'm the real Grandfather Flowers! Just watch!"

The mean old man ran to a dead

peach tree and threw all the ashes into the air. But a sudden wind came along and blew the ashes right in his lordship's face!

His lordship was very angry.

"Put this fool in chains!" he told his men.

They took the mean old man back to the castle and locked him in jail. And that's where he stayed for a very long time.

Issun Boshi

読みはじめる前に

Issun Boshi
一寸法師

Issun Boshi で使われている用語です。わからない語は巻末のワードリストで確認しましょう。

- [ ] bow
- [ ] capital
- [ ] cute
- [ ] entrance
- [ ] faint
- [ ] finger
- [ ] hero
- [ ] laugh
- [ ] needle
- [ ] oar
- [ ] pray
- [ ] sewing
- [ ] straw
- [ ] tunnel
- [ ] wish

登場人物・用語解説

young man and his wife 若い夫婦　住吉神社に祈願に行く。
Issun Boshi 一寸法師　指ほどの大きさしかない元気な男の子。
Lord Sanjo 三条殿　一寸法師を家来として受け入れる。
Ohime-sama お姫様　三条殿の娘。一寸法師と仲良くなる。
big blue demon 大きな青鬼　お姫様に襲いかかる。

Naniwa なにわ（大阪）
Sumiyoshi Shrine 住吉神社
City of Kyo 京の都
Kiyomizu Temple 清水寺
magic hammer 打ち出の小槌

Long, long ago in Naniwa, there lived a young man and his wife. They were both good people, and they loved each other very much. But, sadly, they had no children. One day they went to Sumiyoshi Shrine to pray.

"Won't you send us a child?" they asked the god of the shrine. "Just one little child of our own, no matter how small!"

And what do you think happened? Some months later, the lady gave birth to a little baby boy. A very little one, in fact. This baby was no bigger than your finger. But he was healthy and full of life, and his parents loved him with all their hearts. They named him Issun Boshi.

Issun Boshi means "Little One Inch." By the time he reached the age of five, Issun Boshi was still only an inch tall. The same was true at seven, and even at ten and twelve.

It wasn't easy being so different from other children. But when the others laughed at his size, Issun Boshi only laughed along with them. He was kind to all and always smiling. In other words, he had a very big heart.

He also had big dreams. One day, Issun

Boshi went to his parents and bowed deeply.

"Mother, Father," he said, "I want to go to the capital."

"To the City of Kyo?" said his mother. "All by yourself?"

"Yes," said Issun Boshi. "They say it's the most wonderful place in all Japan. I want to try my luck there."

"But you're so young…"

His parents didn't want their dear boy to go, but at last they agreed.

"Very well, son," his father said. "We always taught you to follow your heart. Go to the capital and become a great man."

"Thank you, Father!"

Issun Boshi was soon ready for his

trip. His mother gave him her finest sewing needle to use as a sword, and she tied a straw to his belt to carry the sword in. His father gave him a soup bowl to use as a boat and a chopstick to use as an oar.

The next morning, they all walked down to the river together. Issun Boshi climbed into the soup bowl and pushed off with his chopstick. His mother and father waved goodbye.

"Good luck, son! Never stop believing in yourself!"

"Goodbye, Mother! Goodbye, Father! I'll become a great man, I promise!"

Little by little, day after day, Issun Boshi pushed his soup bowl boat up the river. He met with strong winds and hard rains. More than once his little boat almost turned over. And more than once he had to fight off birds and fish. But he never gave up.

When at last he reached the City of Kyo, he thought he must be dreaming. The beautiful streets were filled with people and horses and carts, and the shops sold everything under the sun.

"The greatest city in Japan!" he thought. "It's just as wonderful as people say!"

He walked from Gojo, the fifth block, to Sanjo, the third. And there he came to the gate of a great big house.

"This must be the home of a very important man," he thought. "I'll ask if I can work for him!"

Issun Boshi marched right through the gate and all the way up to the big front entrance. He stood on the step and called out at the top of his voice:

"Excuse me!"

The Lord of Sanjo happened to be just inside the entrance. He heard the boy's shout and opened the door himself. But he couldn't see anyone.

"Down here, sir!" cried Issun Boshi.

Lord Sanjo was surprised to see such a small person.

"Who are you?" he said.

"I am Issun Boshi of Naniwa. I want to become a great man. May I work for you?"

Lord Sanjo laughed. He found this young man very interesting.

"I can use a man like you, Issun Boshi," he said. "Welcome!"

Issun Boshi soon became like a member of the great man's family. He worked and studied hard and always did his best at every job. Everyone liked him—especially Lord Sanjo's beautiful daughter, Ohime-sama. She thought Issun

Boshi was the cutest thing in the world, and they soon became the best of friends.

Summer passed, and then autumn and winter. One day in spring, Ohime-sama said she wanted to see the cherry blossoms at Kiyomizu Temple. A group of young men and women agreed to go with her, and Issun Boshi joined them.

They were all walking through the forest on the way to the temple, when they heard a noise in the brush. Suddenly a big blue demon jumped out in front of them. This demon was the size of a horse and had red eyes and long, pointed teeth. It made a terrible noise and reached for Ohime-sama. She fell to the ground in a faint.

The other young men and women all turned and ran away at once. Issun Boshi alone was not afraid. He stood his ground, between the demon and Ohime-sama, and pulled out his needle sword.

"This lady is the daughter of Lord Sanjo!" he shouted. "Leave her alone, or I'll cut you down!"

The demon laughed.

"Why, you're not even big enough to make a good breakfast!" it said. It reached down and caught Issun Boshi between two fingers. Then it lifted him high in the air and dropped him into its mouth.

Issun Boshi found himself in a long, dark tunnel. But even now he wasn't afraid. He pushed the point of his sword into the soft wall of the tunnel. Then he pulled it out, and then he pushed it back in.

"My insides! They hurt!" the demon shouted and danced about. "Stop! You win!"

Issun Boshi jumped back out of the demon's mouth and drove his needle into its foot. The demon cried and ran for its life.

Ohime-sama was awake now.

"I saw everything!" she said and looked at Issun Boshi with the light of love in her eyes. "My hero!"

"Oh, it was nothing," he said.

"You were wonderful!" she said. "But

look!"

She pointed at a strange hammer on the ground.

"What is it?" said Issun Boshi.

"The demon dropped his magic hammer!" she said. "Any wish you make with this will come true! What do you wish for, my hero?"

Issun Boshi put his hand on the hammer and closed his eyes. When he opened them again, he was fully grown.

Ohime-sama's mouth fell open.

"Oh, Issun Boshi!," she said. "You're so tall! And so nice looking!"

Soon Issun Boshi was a famous and important man in the capital. He and Ohime-sama married and moved into a big house of their own. In time, they traveled to Naniwa and brought his parents back with them.

And they all lived happily ever after.

Word List

- 本文で使われている全ての語を掲載しています（LEVEL 1, 2）。ただし、LEVEL 3以上は、中学校レベルの語を含みません。
- 語形が規則変化する語の見出しは原形で示しています。不規則変化語は本文中で使われている形になっています。
- 一般的な意味を紹介していますので、一部の語で本文で実際に使われている品詞や意味と合っていないことがあります。
- 品詞は以下のように示しています。

名 名詞	代 代名詞	形 形容詞	副 副詞	動 動詞	助 助動詞
前 前置詞	接 接続詞	間 間投詞	冠 冠詞	略 略語	俗 俗語
頭 接頭語	尾 接尾語	記 記号	関 関係代名詞		

A

- □ **a** 冠 ①1つの、1人の、ある ②〜につき
- □ **aboard** 副 船[列車・飛行機・バス]に乗って All aboard! 乗ってください！
- □ **about** 副 ①およそ、約 ②まわりに、あたりを 前 ①〜について ②〜のまわりに[の] care only about oneself 自分のことしか考えない dance about 踊り回る
- □ **above** 前 ①〜の上に ②より上で、〜以上で ③〜を超えて 副 ①上に ②以上に 形 上記の 名 《the -》上記の人[こと]
- □ **across** 前 〜を渡って、〜の向こう側に、(身体の一部に)かけて 副 渡って、向こう側に march across 〜を横切る
- □ **afraid** 形 ①心配して ②恐れて、こわがって 《be》afraid of 〜を恐れる、〜を怖がる
- □ **after** 前 ①〜の後に[で]、〜の次に ②《前後に名詞がきて》次々に〜、何度も〜《反復・継続を表す》副 後に[で] 接 (〜した)後に[で] after a while しばらくして day after day 来る日も来る日も happily ever after それからずっと幸せに暮らしましたとさ
- □ **afternoon** 名 午後
- □ **again** 副 再び、もう一度 again and again 何度も繰り返して
- □ **against** 前 ①〜に対して、〜に反対して、(規則など)に違反して ②〜にもたれて push against 〜を押す
- □ **age** 名 ①年齢 ②時代、年代
- □ **ago** 副 〜前に
- □ **agree** 動 ①同意する ②意見が一致する
- □ **ahead** 副 前方へ[に] dead ahead 真ん前に、目と鼻の先に
- □ **air** 名 ①《the -》空中、空間 ②空気、《the -》大気 ③雰囲気、様子
- □ **alive** 形 ①生きている ②活気のある、生き生きとした
- □ **all** 形 すべての、〜中 代 全部、すべて(のもの[人]) not 〜 at all 少しも[全然]〜ない at all 全体 副 まったく、すっかり all right よろしい、申し分ない、わかった、承知した all by oneself 自分だけで、独力で all the way up (途中)ずっと
- □ **almost** 副 ほとんど、もう少しで(〜するところ)
- □ **alone** 形 ただひとりの 副 ひとりで、

WORD LIST

〜だけで

- **along** 前〜に沿って 副前へ，ずっと，進んで along with 〜と一緒に come along やって来る，ふと現れる walk along （前へ）歩く
- **already** 副すでに，もう
- **also** 副〜も（また），〜も同様に 接その上，さらに
- **always** 副いつも，常に
- **am** 動〜である，（〜に）いる［ある］《主語がIのときのbeの現在形》
- **an** 冠①1つの，1人の，ある ②〜につき
- **and** 接①そして，〜と… ②《同じ語を結んで》ますます ③《結果を表して》それで，だから again and again 何度も繰り返して
- **angry** 形怒って，腹を立てて
- **animal** 名動物 形動物の
- **another** 形①もう1つ［1人］の ②別の 代①もう1つ［1人］ ②別のもの from one to another 一方から他方へ
- **answer** 動①答える，応じる ②《‐for 〜》〜の責任を負う 名答え，応答，返事
- **any** 形①《疑問文で》何か，いくつかの ②《否定文で》何も，少しも（〜ない） ③《肯定文で》どの〜も 代①《疑問文で》（〜のうち）何か，どれか，誰か ②《否定文で》少しも，何も［誰も］〜ない ③《肯定文で》どれも，誰でも 副少しは，少しも
- **anyone** 代①《疑問文・条件節で》誰か ②《否定文で》誰も（〜ない） ③《肯定文で》誰でも
- **are** 動〜である，（〜に）いる［ある］《主語がyou, we, theyまたは複数名詞のときのbeの現在形》
- **arf** 間ワン《犬のほえ声》
- **arm** 名①腕 ②腕状のもの，腕木，ひじかけ ③《‐s》武器，兵器 動武装する［させる］
- **armor** 名よろい，かぶと，甲冑

suit of armor よろい一揃い

- **around** 副①まわりに，あちこちに ②およそ，約 前〜のまわりに，〜のあちこちに push around いじめる，手荒に扱う reach around 手を後ろに回す turn around 振り向く，向きを変える，方向転換する
- **arrow** 名矢，矢のようなもの
- **as** 接①《as 〜 as …の形で》…と同じくらい〜 ②〜のとおりに，〜のように ③〜しながら，〜しているときに ④〜するにつれて，〜にしたがって ⑤〜なので ⑥〜だけれども ⑦〜する限りでは as 〜 as one can できる限り〜 as you wish 望み通りに 前①〜として（の） ②〜の時 副同じくらい 代①〜のような ②〜だが
- **ash** 名灰
- **ask** 動①尋ねる，聞く ②頼む，求める
- **at** 前①《場所・時》〜に［で］ ②《目標・方向》〜に［を］，〜に向かって ③《原因・理由》〜を見て［聞いて・知って］ ④〜に従事して，〜の状態で at first 最初は at last ついに，とうとう at once すぐに，即座に at that time その時
- **ate** 動 eat（食べる）の過去
- **autumn** 名秋
- **awake** 動①目覚めさせる ②目覚める 形目が覚めて
- **away** 副離れて，遠くに，去って，わきに get away with うまく逃れる，やり過ごす push away 押しのける，押しやる right away すぐに run away 走り去る，逃げ出す take away 取り上げる，奪い去る
- **axe** 名おの 動おので切る

B

- **baby** 名①赤ん坊 ②《呼びかけで》あなた 形①赤ん坊の ②小さな
- **back** 名①背中 ②裏，後ろ

Long-ago Stories of Japan vol.1

Mountain in Back 裏山 形裏の, 後ろの 副①戻って ②後ろへ[に] **bring back** 持ち帰る **get back** 戻る, 帰る **give back** (~を)返す **step back** 後ずさりする, 後に下がる **take back** 取り戻す **turn back** 元に戻る

- **bad** 形①悪い, へたな, まずい ②気の毒な ③(程度が)ひどい, 激しい
- **bag** 名袋, かばん 動袋に入れる, つかまえる
- **bank** 名岸
- **bare** 形裸の, むき出しの
- **bark** 動ほえる, どなる
- **basket** 名かご, バスケット
- **bath** 名入浴, 水浴, 風呂
- **be** 動~である, (~に)いる[ある], ~となる **It is not to be.** ここにはいられません。 助①《現在分詞とともに用いて》~している ②《過去分詞とともに用いて》~される, ~されている
- **beach** 名海辺, 浜
- **beautiful** 形美しい, すばらしい 間いいぞ, すばらしい
- **became** 動become(なる)の過去
- **become** 動①(~に)なる ②(~に)似合う ③becomeの過去分詞
- **been** 動be(~である)の過去分詞 助be(~している・~される)の過去分詞
- **before** 前~の前に[で], ~より以前に 接~する前に 副以前に **right before one's eyes** 目の前で
- **began** 動begin(始まる)の過去
- **begin** 動始まる[始める], 起こる
- **behind** 前①~の後ろに, ~の背後に ②~に遅れて, ~に劣って 副①後ろに, 背後に ②遅れて, 劣って **leave behind** あとにする
- **being** 動be(~である)の現在分詞 名存在, 生命, 人間
- **believe** 動信じる, 信じている, (~と)思う, 考える
- **belong** 動《-to ~》~に属する, ~のものである
- **belt** 名①ベルト, バンド ②地帯 動ベルト[ひも]でくくる
- **best** 形最もよい, 最大[多]の 副最もよく, 最も上手に
- **better** 形①よりよい ②(人が)回復して 副①よりよく, より上手に ②むしろ
- **between** 前(2つのもの)の間に[で・の] 副間に
- **big** 形①大きい ②偉い, 重要な 《be》**no bigger than your finger** 指ほどの大きさだ 副①大きく, 大いに ②自慢して
- **bird** 名鳥 **Crackle Crackle Bird** パチパチ鳥 **Kachi Kachi Bird** カチカチ鳥
- **birth** 名出産, 誕生 **give birth** 出産する
- **bit** 動bite(かむ)の過去, 過去分詞
- **black** 形黒い, 有色の 名黒, 黒色
- **blew** 動blow(吹く)の過去
- **block** 名(市街地の)1区画
- **bloom** 名①花, 開花 ②若さ 動咲く, 咲かせる
- **blossom** 名花 **cherry blossom** 桜の花
- **blow** 動(風が)吹く
- **blue** 形青い
- **boat** 名小舟, 船
- **bob** 動上下に動く
- **body** 名体, 死体, 胴体
- **born** 動bear(産む)の過去分詞 形生まれた, 生まれながらの
- **borrow** 動借りる, 借金する
- **both** 形両方の, 2つともの 副《both ~ and … の形で》~も…も両方とも 代両方, 両者, 双方
- **bother** 動悩ます, 困惑させる 名面倒, いざこざ, 悩みの種

Word List

- **bow** 名 船首
- **bowl** 名 どんぶり, わん, ボウル soup bowl お椀
- **box** 名 箱, 容器
- **boy** 名 少年, 男の子
- **break though** 熟 ～を打ち破る
- **breakfast** 名 朝食
- **bright** 形 ①輝いている, 鮮明な ②快活な ③利口な 副 輝いて, 明るく
- **bring** 動 ①持ってくる, 連れてくる ②もたらす, 生じる bring back 持ち帰る bring down 打ち降ろす
- **broke** 動 break（壊す）の過去
- **broken** 動 break（壊す）の過去分詞 形 ①破れた, 壊れた ②落胆した
- **brought** 動 bring（持ってくる）の過去, 過去分詞
- **brush** 名 やぶ
- **bug** 名 小虫
- **build** 動 建てる, 確立する 名 体格, 構造
- **building** 動 build（建てる）の現在分詞 名 建物, 建造物, ビルディング
- **burn** 動 燃える, 燃やす, 日焼けする[させる] 名 やけど
- **but** 接 ①でも, しかし ②～を除いて 前 ～を除いて, ～のほかは 副 ただ, のみ, ほんの
- **buy** 動 買う, 獲得する 名 購入, 買った[買える]物
- **by** 前 ①《位置》～のそばに[で] ②《手段・方法・行為者・基準》によって, ～で ③《期限》～までには ④《通過・経由》～を経由して, ～を通って 副 そばに, 通り過ぎて all by oneself 自分だけで, 独力で by the time ～する時までに get by どうにかやっていく, 生き残る hang by 必死になってかじりつく little by little 少しずつ, 徐々に

C

- **cake** 名 菓子, ケーキ rice cake もち
- **call** 動 ①呼ぶ, 叫ぶ ②立ち寄る call out 叫ぶ
- **came** 動 come（来る）の過去
- **can** 助 ①～できる ②～してもよい ③～でありうる ④《否定文で》～のはずがない Can I ～? ～してもよいですか。 Can you ～? ～してくれますか。 名 缶, 容器 動 缶詰[瓶詰]にする
- **capital** 名 ①首都 ②大文字 ③資本（金） 形 ①資本の ②首都の ③最も重要な ④大文字の
- **care** 名 心配, 注意 動 ①《通例否定文・疑問文で》気にする, 心配する ②世話をする care only about oneself 自分のことしか考えない
- **carry** 動 ①運ぶ, 連れていく, 持ち歩く ②伝わる, 伝える carry out (人・物)を外へ運び出す
- **cart** 名 荷馬車, 荷車 動 運ぶ
- **castle** 名 城, 大邸宅
- **catch** 動 つかまえる catch fire 火がつく, 引火する
- **caught** 動 catch（つかまえる）の過去, 過去分詞
- **cause** 名 原因, 理由, 動機 動 (～の)原因となる, 引き起こす
- **certain** 形 ①確実な, 必ず～する ②(人が)確信した ③ある ④いくらかの 代 (～の中の)いくつか
- **chain** 名 鎖 put in chains 鎖でつなぐ
- **check** 動 照合する, 検査する
- **cheer** 名 ①応援 ②気分, 機嫌 動 ①元気づける ②かっさいを送る
- **cherry** 名 サクランボ, 桜 cherry blossom 桜の花 cherry tree 桜の木
- **chestnut** 名 クリ（栗）
- **child** 名 子ども

Long-ago Stories of Japan vol.1

- **children** 名 child (子ども)の複数
- **chopstick** 名《ふつう-s》はし
- **circle** 名 円, 円周, 輪 動 回る, 囲む
- **city** 名 都市, 都会 City of Kyo 京の都
- **clean** 形 きれいな, 清潔な 動 掃除する 副 ①きれいに ②まったく, すっかり
- **cleaning** 動 clean (掃除する)の現在分詞 名 掃除, クリーニング, 洗濯
- **clear** 形 ①はっきりした, 明白な ②澄んだ ③(よく)晴れた 動 ①はっきりさせる ②片づける ③晴れる 副 ①はっきりと ②すっかり, 完全に
- **climb** 動 登る, 徐々に上がる climb into ~に乗り込む climb over ~を乗り越える
- **close** 形 ①近い ②親しい ③狭い 副 ①接近して ②密集して 動 閉まる, 閉める
- **cloth** 名 布(地), テーブルクロス, ふきん
- **clothes** 名 衣服, 身につけるもの
- **cloud** 名 雲, 雲状のもの, 煙
- **club** 名 こん棒
- **coat** 名 コート
- **coin** 名 硬貨, コイン
- **cold** 形 ①寒い, 冷たい ②冷淡な, 冷静な 名 ①寒さ, 冷たさ ②風邪
- **collected** 形 集めた, 集まった
- **come** 動 ①来る, 行く, 現れる ②(出来事が)起こる, 生じる ③~になる ④come の過去分詞 come along やって来る, ふと表れる come out of ~から出てくる come over やって来る how come どうして, なぜ
- **company** 名 ①会社 ②交際, 同席 ③友だち, 仲間, 一団, 人の集まり
- **continue** 動 続く, 続ける, (中断後)再開する, (ある方向に)移動していく
- **cook** 動 料理する, (食物が)煮える
- **cooking** 動 cook (料理する)の過去, 過去分詞 名 料理(法), クッキング
- **corner** 名 ①曲がり角, 角 ②すみ, はずれ
- **could** 助 ①can (~できる)の過去 ②《控え目な推量・可能性・願望などを表す》Could you ~? ~してくださいますか。
- **couple** 名 ①2つ, 対 ②夫婦, 一組 ③数個 動 つなぐ, つながる, 関連させる
- **course** 名 of course もちろん, 当然
- **cover** 動 ①覆う, 包む, 隠す ②扱う, (~に)わたる, 及ぶ ③代わりを務める ④補う 名 覆い, カバー
- **crackle** 名 (火が)パチパチ音を立てる音 Crackle Crackle Bird パチパチ鳥 Crackle Crackle Mountain パチパチ山
- **crane** 名 ツル(鶴)
- **cross** 名 交配種, 中間物
- **cry** 動 泣く, 叫ぶ, 大声を出す, 嘆く 名 泣き声, 叫び, かっさい
- **cut** 動 ①切る, 刈る ②cut の過去, 過去分詞 cut down 切り倒す, 打ちのめす
- **cute** 形 かわいい

D

- **dance** 動 踊る, ダンスをする dance about 踊り回る
- **dangerous** 形 危険な, 有害な
- **dark** 形 ①暗い, 闇の ②(色が)濃い, (髪が)黒い ③陰うつな 名 ①《the-》暗がり, 闇 ②日暮れ, 夜 ③暗い色[影]
- **daughter** 名 娘
- **day** 名 ①日中, 昼間 ②日, 期日 ③《-s》時代, 生涯 day after day 来る日も来る日も each day 毎日, 日

WORD LIST

ごとに **in those days** 当時は **one day** ある日

- □ **dead** 形①死んでいる, 活気のない, 枯れた ②まったくの 副完全に, まったく **dead ahead** 真ん前に, 目と鼻の先に

- □ **dear** 形いとしい, 親愛なる, 大事な 名ねえ, あなた《呼びかけ》間まあ, おや

- □ **deep** 形①深い, 深さ〜の ②深遠な ③濃い 副深く

- □ **deeply** 副深く, 非常に

- □ **delicious** 形おいしい, うまい

- □ **demon** 名鬼 **big blue demon** 大きな青鬼 **Demons Island** 鬼が島

- □ **devil** 名①悪魔(のような人) ②やっかいなこと ③《疑問詞を強調して》いったい全体

- □ **did** 動do(〜をする)の過去 助doの過去

- □ **die** 動死ぬ, 消滅する

- □ **different** 形異なった, 違った, 別の, さまざまな

- □ **dig** 動掘る **dig into** 掘り下げる **dig up** 掘り起こす, 掘り出す

- □ **dinner** 名ディナー, 夕食

- □ **discover** 動発見する, 気づく

- □ **do** 助①《ほかの動詞とともに用いて現在形の否定文・疑問文をつくる》②《同じ動詞を繰り返す代わりに用いる》③《動詞を強調するのに用いる》動〜をする

- □ **dog** 名犬

- □ **door** 名ドア, 戸

- □ **down** 副①下へ, 降りて, 低くなって ②倒れて 前〜の下方へ, 〜を下って 形下方の, 下りの **bring down** 打ち降ろす **cut down** 切り倒す, 打ちのめす **fall down** 転ぶ **get down on all fours** 四つんばいになる **go down** 下に降りる **jump up and down** 飛び跳ねる **march down** ずんずんと進む **set down** 下に置く **throw down** 投げ出す, 放棄する

- □ **dream** 名夢, 幻想 動(〜の)夢を見る, 夢想[想像]する

- □ **drop** 動①(ぽたぽた)落ちる, 落とす ②下がる, 下げる **drop in** ちょっと立ち寄る 名しずく, 落下

- □ **drove** 動drive(車で行く)の過去

- □ **drum** 名太鼓, ドラム 動太鼓を鳴らす, ドラムを打つ

- □ **dug** 動dig(掘る)の過去, 過去分詞

- □ **dumpling** 名だんご **millet dumpling** きびだんご

E

- □ **each** 形それぞれの, 各自の 副それぞれに 代それぞれ, 各自 **each day** 毎日, 日ごとに **each other** お互いに

- □ **early** 形①(時間や時期が)早い ②初期の, 幼少の, 若い 副①早く, 早めに ②初期に, 初めのころに

- □ **easy** 形①やさしい, 簡単な ②気楽な, くつろいだ **take it easy** 気楽にやる

- □ **eat** 動食べる, 食事する

- □ **either** 形①(2つのうち)どちらかの ②どちらでも 代どちらも, どちらでも 副①どちらか ②《否定文で》〜もまた(…ない) 接《- 〜 or …》〜かまたは…か

- □ **end** 名①終わり, 終末, 死 ②果て, 末, 端 ③目的 **in the end** とうとう, 最後には 動終わる, 終える

- □ **enjoy** 動楽しむ, 享受する

- □ **enough** 形十分な, (〜するに)足る 名十分(な量・数), たくさん 副(〜できる)だけ, 十分に, まったく **enough is enough** もうたくさんである **sure enough** 思ったとおり, 確かに

- □ **entrance** 名①入り口, 入場 ②開始

- □ **especially** 副特別に, とりわけ

87

LONG-AGO STORIES OF JAPAN VOL.1

- **even** 副①《強意》〜でさえも、〜ですら、いっそう、なおさら ②平等に 形①平らな、水平の ②等しい、均一の ③落ち着いた 動平らになる[する]、釣り合いがとれる
- **evening** 名夕方、晩
- **ever** 副①今までに、これまで、かつて、いつまでも ②《強意》いったい **happily ever after** それからずっと幸せに暮らしましたとさ
- **every** 形①どの〜も、すべての、あらゆる ②毎〜、〜ごとの
- **everyone** 代誰でも、皆
- **everything** 代すべてのこと[もの]、何でも、何もかも
- **excuse** 動①(〜の)言い訳をする ②許す、容赦する、免除する 名①言い訳、口実 ②免除
- **eye** 名目 **keep an eye on** 〜から目を離さない **right before one's eyes** 目の前で

F

- **face** 名顔
- **fact** 名事実、真相 **in fact** 実は、要するに
- **faint** 名気絶、失神 **in a faint** 気絶して、失神して
- **fall** 動①落ちる、倒れる ②(ある状態に)急に陥る **fall down** 転ぶ **fall for** (策略などに)はまる、だまされる **fall to pieces** ボロボロになる **fall to the ground** 転ぶ **one's mouth fall open** 口が開いたままになる
- **family** 名家族、家庭、一門、家柄
- **famous** 形有名な、名高い
- **far** 副①遠くに、はるかに、離れて ②《比較級を強めて》ずっと、はるかに **so far** 今までのところ、これまでは 形遠い、向こうの 名遠方
- **farmer** 名農民、農場経営者
- **fast** 形①(速度が)速い ②(時計が)進んでいる ③しっかりした 副①速く、急いで ②(時計が)進んで ③しっかりと、ぐっすりと
- **father** 名父親
- **favorite** 名お気に入り(の人[物]) 形お気に入りの、ひいきの
- **feather** 名羽、《-s》羽毛
- **feel** 動感じる、(〜と)思う
- **feet** 名 foot (足) の複数
- **fell** 動 fall (落ちる) の過去
- **field** 名野原、田畑
- **fifth** 名第5番目(の人[物])、5日 形第5番目の
- **fight** 動(〜と)戦う、争う **fight off** 戦って撃退する 名①戦い、争い、けんか ②闘志、ファイト
- **fill** 動①満ちる、満たす ②《be -ed with 〜》〜でいっぱいである
- **finally** 副最後に、ついに、結局
- **find** 動①見つける ②(〜と)わかる、気づく、〜と考える ③得る
- **fine** 形①元気な ②美しい、りっぱな、申し分ない、結構な ③晴れた ④細かい、微妙な 副りっぱに、申し分なく
- **finger** 名(手の)指 動指でさわる
- **finish** 動終わる、終える 名終わり、最後
- **finished** 動 finish (終わる) の過去、過去分詞 形①終わった、仕上がった ②洗練された ③もうだめになった
- **fire** 名火、炎、火事 **catch fire** 火がつく、引火する **set on fire** 火をつける
- **first** 名最初、第一(の人・物) **at first** 最初は、初めのうちは 形①第一の、最初の ②最も重要な 副第一に、最初に
- **fish** 名魚 動釣りをする
- **five** 名5(の数字)、5人[個] 形5の、5人[個]の
- **flag** 名旗 動旗で目印をする[合図

WORD LIST

- **flew** 動 fly (飛ぶ) の過去
- **floor** 名 床, 階
- **flower** 名 ①花, 草花 ②満開 動 花が咲く
- **fly off** 熟 飛び去る
- **follow** 動 ①ついていく, あとをたどる ②(〜の)結果として起こる ③(忠告などに)従う ④理解できる
- **food** 名 食物, えさ, 肥料
- **fool** 名 ばか者, おろかな人 動 ばかにする, だます, ふざける
- **foot** 名 ①足, 足取り ②(山などの)ふもと, (物の)最下部, すそ
- **for** 前 ①《目的・原因・対象》〜にとって, 〜のために[の], 〜に対して ②《期間》〜間 ③《代理》〜の代わりに ④《方向》〜へ(向かって) 接 というわけは〜, なぜなら〜だから **fall for**(策略などに)はまる, だまされる **for a while** しばらくの間, 少しの間 **head for** 〜に向かう, 〜の方に進む **pray for** 〜のために祈る **reach for** 〜に手を伸ばす, 〜を取ろうとする **run for one's life** 一目散に逃げる **whatever for** いったい何のために **wish for** 所望する
- **forest** 名 森林
- **forever** 副 永遠に, 絶えず
- **forward** 形 ①前方の, 前方へ向かう ②将来の ③先の 副 ①前方に ②将来に向けて ③先へ, 進んで **look forward to** 〜[〜ing] 〜を期待する 動 ①転送する ②進める 名 前衛
- **found** 動 ①find (見つける) の過去, 過去分詞
- **four** 名 4(の数字), 4人[個] **get down on all fours** 四つんばいになる 形 4の, 4人[個]の
- **fourteen** 名 14(の数字), 14人[個] 形 14の, 14人[個]の
- **fresh** 形 ①新鮮な, 生気のある ②さわやかな, 清純な ③新規の
- **friend** 名 友だち, 仲間

- **from** 前 ①《出身・出発点・時間・順序・原料》〜から ②《原因・理由》〜がもとで **from one to another** 一方から他方へ
- **front** 名 正面, 前 **in front of** 〜 〜の前に, 〜の正面に **Mountain in Front** 前山 形 正面の, 前面の
- **fruit** 名 ①果実, 実 ②《-s》成果, 利益 動 実を結ぶ
- **full** 形 ①満ちた, いっぱいの, 満期の ②完全な, 盛りの, 充実した 名 全部
- **fully** 副 十分に, 完全に, まるまる

G

- **garden** 名 庭, 庭園 動 園芸をする, 庭いじりをする
- **gate** 名 ①門, 扉, 入り口 ②(空港・駅などの)ゲート
- **gave** 動 give (与える) の過去
- **gently** 副 親切に, 上品に, そっと, 優しく
- **get** 動 ①得る, 手に入れる ②(ある状態に)なる, いたる ③わかる, 理解する ④〜させる, 〜を(…の状態に)する ⑤(ある場所に)達する, 着く **get away with** うまく逃れる, やり過ごす **get back** 戻る, 帰る **get by** どうにかやっていく, 生き残る **get down on all fours** 四つんばいになる **get through** 乗り切る
- **gift** 名 贈り物
- **give** 動 ①与える, 贈る ②伝える, 述べる ③(〜を)する **give back** (〜を)返す **give birth** 出産する **give someone one's word** (人)に約束する **give up** あきらめる
- **glad** 形 ①うれしい, 喜ばしい ②《be - to 〜》〜してうれしい, 喜んで〜する
- **gladly** 副 喜んで, うれしそうに
- **go** 動 ①行く, 出かける ②動く ③

進む, 経過する, いたる ④(ある状態に)なる **go down** 下に降りる **go up** 登る **go with** ～によく合う **let go** 手を放す

- **god** 名神 **My god!** 何ということだ。

- **going** 動go(行く)の現在分詞 名行くこと, 出発, 進捗 形うまくいっている, 現行の

- **Gojo** 名五条《京都の東西の通りの名》

- **gold** 名金, 金貨, 金製品, 金色 形金の, 金製の, 金色の

- **gone** 動go(行く)の過去分詞 形去った, 使い果たした, 死んだ

- **good** 形①よい, 上手な, 優れた, 美しい ②(数量・程度が)かなりの, 相当な **be good at** ～[～ing]～が得意である 間よかった, わかった, よろしい 名善, 徳, 益, 幸福

- **goodbye** 間さようなら 名別れのあいさつ

- **got** 動get(得る)の過去, 過去分詞

- **grandfather** 名おじいさん

- **Grandfather Flowers** 名花咲か爺さん

- **grandmother** 名おばあさん

- **grave** 名墓 形重要な, 厳粛な, 落ち着いた

- **great** 形①大きい, 広大な, (量や程度が)たいへんな ②偉大な, 優れた ③すばらしい, おもしろい **great Lord** お殿様

- **greedy** 形どん欲である, 欲深い

- **green** 形①緑色の, 青々とした ②未熟な, 若い, 生き生きとした 名①緑色 ②草地, 芝生, 野菜

- **grew** 動grow(成長する)の過去

- **ground** 名地面, 土, 土地 **fall to the ground** 転ぶ **stand one's ground** しっかり大地に足をすえる

- **group** 名集団, 群 動集まる

- **grow** 動①成長する, 育つ, 育てる ②増大する, 大きくなる, (次第に～に)なる **grow up** 成長する, 大人になる

- **grown** 動grow(成長する)の過去分詞 形成長した, 成人した

- **guess** 動①推測する, 言い当てる ②(～と)思う 名推定, 憶測

H

- **had** 動have(持つ)の過去, 過去分詞 助haveの過去《過去完了の文をつくる》

- **hair** 名髪, 毛

- **hammer** 名ハンマー, 金づち **magic hammer** 打ち出の小槌

- **hand** 名①手 ②(時計の)針 ③援助の手, 助け 動手渡す

- **hang** 動かかる, かける, つるす, ぶら下がる **hang by** 必死になってかじりつく

- **happen** 動①(出来事が)起こる, 生じる ②偶然[たまたま]～する **happen to** たまたまする, 偶然する

- **happily** 副幸福に, 楽しく, うまく, 幸いにも **happily ever after** それからずっと幸せに暮らしましたとさ

- **happy** 形幸せな, うれしい, 幸運な, 満足して

- **hard** 形①堅い ②激しい, むずかしい ③熱心な, 勤勉な ④無情な, 耐えがたい, 厳しい, きつい 副①一生懸命に ②激しく ③堅く

- **have** 動①持つ, 持っている, 抱く ②(～が)ある, いる ③食べる, 飲む ④経験する, (病気に)かかる ⑤催す, 開く ⑥(人に)～させる **have to** ～～しなければならない 助《〈have+過去分詞〉の形で現在完了の文をつくる》～した, ～したことがある, ずっと～している

- **he** 代彼は[が]

- **head** 名①頭 ②先頭 ③長, 指導者 動向かう, 向ける **head for** ～に向

WORD LIST

- かう, ～の方に進む
- **healthy** 形 健康な, 健全な, 健康によい
- **heard** 動 hear (聞く) の過去, 過去分詞
- **heart** 名 ①心臓, 胸 ②心, 感情, ハート **weak of heart** 意気地がない
- **heat** 名 ①熱, 暑さ ②熱気, 熱意, 激情 動 熱する, 暖める
- **heavy** 形 重い, 激しい, つらい
- **held** 動 hold (つかむ) の過去, 過去分詞
- **hello** 間 こんにちは, やあ
- **help** 動 助ける, 手伝う 名 助け, 手伝い
- **her** 代 ①彼女を[に] ②彼女の
- **here** 副 ①ここに[で] ②《-is[are]～》ここに～がある ③さあ, そら **Here you are.** はい, どうぞ。 名 ここ
- **hero** 名 英雄, ヒーロー
- **high** 形 ①高い ②気高い, 高価な 副 ①高く ②ぜいたくに 名 高い所
- **hill** 名 丘, 塚
- **him** 代 彼を[に]
- **himself** 代 彼自身 **all by himself** 自分だけで, 独力で
- **his** 代 ①彼の ②彼のもの **his lordship**《呼びかけ》お殿様 **his men** 家来
- **hit** 動 ①打つ, なぐる ②ぶつける, ぶつかる ③命中する ④hitの過去, 過去分詞 名 ①打撃 ②命中
- **hoe** 名 くわ 動 くわで掘る
- **hold** 動 ①つかむ, 持つ, 抱く ②保つ, 持ちこたえる **hold up** ～を持ち上げる
- **hole** 名 穴
- **home** 名 家, 自国, 故郷, 家庭 **at home** 在宅して, 気楽に, くつろいで 副 家に, 自国へ 形 家の, 家庭の, 地元の
- **hope** 名 希望, 期待, 見込み 動 望む, (～であるようにと) 思う **I hope (that)** ～ ～だと思う, ～だとよいと思う
- **horse** 名 馬
- **hot** 形 ①暑い, 熱い ②できたての, 新しい ③からい, 強烈な, 熱中した **red hot pepper** 非常に辛い赤トウガラシ 副 ①熱く ②激しく
- **house** 名 ①家, 家庭 ②(特定の目的のための) 建物, 小屋
- **how** 副 ①どうやって, どれくらい, どんなふうに ②なんて (～だろう) **how come** どうして, なぜ
- **human** 名 人間
- **hundred** 名 ①100 (の数字), 100人[個] ②《-s》何百, 多数 形 ①100の, 100人[個]の ②多数の
- **hungry** 形 ①空腹の, 飢えた ②渇望して ③不毛の
- **hurry** 動 急ぐ, 急がせる, あわてる 名 急ぐこと, 急ぐ必要
- **hurt** 動 傷つける, 痛む, 害する 名 傷, けが, 苦痛, 害
- **husband** 名 夫

I

- **I** 代 私は[が]
- **idea** 名 考え, 意見, アイデア, 計画
- **if** 接 もし～ならば, たとえ～でも, ～かどうか
- **ill** 形 ①病気の, 不健康な ②悪い
- **important** 形 重要な, 大切な, 有力な
- **in** 前 ①《場所・位置・所属》～(の中)に[で・の] ②《時》～(の時)に[の・で], ～後(に), ～の間(に) ③《方法・手段》～で ④～を身につけて, -を着て ⑤～に関して, ～について ⑥《状態》～の状態で 副 中へ[に], 内へ[に] **in a faint** 気絶して, 失神して **in fact** 実際に **in no time (at all)** すぐに,

一瞬で **in other words** すなわち, 言い換えれば **in return** お返しとして **in tears** 涙を流しながら **in those days** 当時は **in time** やがて **look in** 中を見る **put in chains** 鎖でつなぐ **reach in** 手を突っ込む

- **inch** 名 ①インチ《長さの単位。1/12フィート, 2.54cm》②少量

- **inside** 名 内部, 内側 形 内部[内側]にある 副 内部[内側]に 前 ~の内部[内側]に

- **interesting** 動 interest(興味を起こさせる)の現在分詞 形 おもしろい, 興味を起こさせる

- **into** 前 ①《動作・運動の方向》~の中へ[に] ②《変化》~に[へ] **climb into** ~に乗り込む **dig into** 掘り下げる **look into** ~をのぞき込む

- **invite** 動 ①招待する, 招く ②勧める, 誘う ③~をもたらす

- **iron** 名 ①鉄, 鉄製のもの ②アイロン 形 鉄の, 鉄製の

- **is** 動 be(~である)の3人称単数現在

- **island** 名 島

- **Issun Boshi** 名 一寸法師

- **it** 代 ①それは[が], それを[に] ②《天候・日時・距離・寒暖などを示す》**It is not to be.** ここにはいられません。

- **its** 代 それの, あれの

J

- **jail** 名 刑務所 **in jail** 拘置されて, 獄中に
- **Japan** 名 日本《国名》
- **jewel** 名 宝石
- **job** 名 仕事, 職
- **join** 動 一緒になる, 参加する
- **journey** 名 ①(遠い目的地への)旅 ②行程

- **jump** 動 跳ぶ, 跳躍する, 飛び越える, 飛びかかる **jump out** 飛び出る **jump out of the way** 跳んで身をかわす **jump up and down** 飛び跳ねる

- **just** 形 正しい, もっともな, 当然な 副 ①まさに, ちょうど, (~した)ばかり ②ほんの, 単に, ただ~だけ ③ちょっと

K

- **Kachi Kachi Bird** 名 カチカチ鳥
- **Kachi Kachi Mountain** 名 カチカチ山
- **keep** 動 ①とっておく, 保つ, 続ける ②(~を…に)しておく ③飼う, 養う ④守る **keep an eye on** ~から目を離さない
- **kept** 動 keep(とっておく)の過去, 過去分詞
- **key** 間 キー《キジの鳴き声》
- **kick** 動 ける, キックする
- **kill** 動 殺す, 消す, 枯らす 名 殺すこと
- **kind** 形 親切な, 優しい
- **king** 名 王, 国王
- **kitchen** 名 台所, 調理場
- **Kiyomizu Temple** 名 清水寺
- **knew** 動 know(知っている)の過去
- **knife** 名 ナイフ, 小刀, 包丁, 短剣
- **knock** 動 ノックする, たたく, ぶつける 名 打つこと, 戸をたたくこと[音]
- **know** 動 ①知っている, 知る, (~が)わかる, 理解している ②知り合いである
- **Kyo** 名 京(都) **City of Kyo** 京の都

Word List

L

- **lady** 名婦人, 夫人, 淑女, 奥さん
- **land** 名①陸地, 土地 ②国, 領域 動上陸する, 着地する
- **last** 形①《the-》最後の ②この前の, 先の 副①最後に ②この前 名《the-》最後(のもの), 終わり **at last** ついに
- **late** 形①遅い, 後期の ②最近の ③《the-》故〜 副①遅れて, 遅く ②最近まで, 以前
- **later** 形もっと遅い, もっと後の 副後で, 後ほど
- **laugh** 動笑う 名笑い(声)
- **learn** 動学ぶ, 習う, 教わる, 知識[経験]を得る
- **leave** 動①出発する, 去る ②残す, 置き忘れる ③(〜を…の)ままにしておく ④ゆだねる **leave behind** あとにする
- **left** 名《the-》左, 左側 形左の, 左側の 副左に, 左側に 動leave(出発する)の過去, 過去分詞
- **leg** 名①脚, すね ②支柱
- **let** 動(人に〜)させる, (〜するのを)許す, (〜をある状態に)する **let go** 手を放す
- **let's** let us の短縮形
- **life** 名①生命, 生物 ②一生, 生涯, 人生 ③生活, 暮らし, 世の中 **run for one's life** 一目散に逃げる
- **lift** 動①持ち上げる, 上がる ②取り除く, 撤廃する 名①持ち上げること ②エレベーター, リフト
- **light** 名光, 明かり 動火をつける, 照らす, 明るくする 形①明るい ②(色が)薄い, 淡い ③軽い, 容易な 副軽く, 容易に
- **like** 動好む, 好きである 前〜に似ている, 〜のような **look like 〜** 〜のように見える, 〜に似ている, 〜ている, 〜のような
- **little** 形①小さい, 幼い ②少しの, 短い ③ほとんど〜ない, 《a-》少しはある 名少し(しか), 少量 **little by little** 少しずつ 副全然〜ない, 《a-》少しはある
- **live** 動住む, 暮らす, 生きている 形①生きている, 生きた ②ライブの, 実況の 副生で, ライブで
- **load** 名(重い)荷, 積荷, (心の)重荷 《a》 **load of** 多量の, 多数の
- **lock** 名錠(前) 動鍵を下ろす, 閉じ込める, 動けなくする
- **lonely** 形①孤独な, 心さびしい ②ひっそりした, 人里離れた
- **long** 形①長い, 長期の ②《長さ・距離・時間などを示す語句を伴って》〜の長さ[距離・時間]の 副長い間, ずっと **so [as] long as** 〜 〜する限りは
- **long-ago** ずっと以前に
- **look** 動①見る ②(〜に)見える, (〜の)顔つきをする ③注意する ④《間投詞のように》ほら, ねえ **look in** 中を見る **look into** 〜をのぞき込む **look up** 見上げる
- **loom** 名織り機
- **lord** 名殿様, 貴族 **great Lord** お殿様 **Lord Sanjo** 三条殿《人名》
- **lordship** 名殿様 **his [your] lordship** 《呼びかけ》お殿様
- **lose one's way** 道に迷う
- **lost** 動lose (失う)の過去, 過去分詞 形①失った, 負けた ②道に迷った, 困った
- **loud** 形大声の, 騒がしい 副大声に[で]
- **love** 名愛, 愛情, 思いやり 動愛する, 恋する, 大好きである
- **loving** 動love (愛する)の現在分詞 形愛する, 愛情のこもった
- **low** 形①低い, 弱い ②低級の, 劣等な 副低く
- **luck** 名運, 幸運, めぐり合わせ
- **lunch** 名昼食, ランチ, 軽食

LONG-AGO STORIES OF JAPAN VOL.1

- **lying** 動 lie（うそをつく・横たわる）の現在分詞 形 ①うそをつく,虚偽の ②横になっている 名 ①うそをつくこと,虚言,虚偽 ②横たわること

M

- **made** 動 make（作る）の過去,過去分詞 形 作った,作られた
- **magic hammer** 名 打ち出の小槌
- **make** 動 ①作る,得る ②行う,（～に）なる ③（～を…に）する,（～を…）させる **make ~ out of** … ～を…から作る **make out** 認識する,見分ける
- **mallet** 名 木槌
- **man** 名 男性,人,人類
- **many** 形 多数の,たくさんの 代 多数（の人・物）
- **march** 動 行進する［させる］ **march across** ～を横切る **march down** ずんずんと進む **march right through** ～を一気に通り抜ける **march right up to** ～まで一気に進む
- **marry** 動 結婚する
- **matter** 名 物,事,事件,問題 動《主に疑問文・否定文で》重要である
- **may** 助 ①～かもしれない ②～してもよい,～できる **May I ~?** ～してもよいですか
- **me** 代 私を[に]
- **meal** 名 ①食事 ②ひいた粉,あらびき粉
- **mean** 動 意味する 形 卑怯な,けちな,卑しい,意地悪な 名 中間,中位
- **meaning** 名 意味,意義
- **medicine** 名 ①薬 ②医学,内科
- **meet** 動 ①会う,知り合いになる ②合流する,交わる ③（条件などに）達する,合う **meet with ~** ～に出会う
- **member** 名 一員,メンバー
- **men** 名 man（男性）の複数 **his men** 家来
- **met** 動 meet（会う）の過去,過去分詞
- **middle** 名 中間,最中 形 中間の,中央の
- **millet** 名 キビ,アワ《植物》**millet dumpling** きびだんご
- **Momotaro** 名 桃太郎
- **money** 名 金,通貨
- **monkey** 名 サル（猿）動 ふざける,いたずらをする
- **month** 名 月,1カ月
- **moon** 名 月,月光
- **more** 形 ①もっと多くの ②それ以上の,余分の 副 もっと,さらに多く,いっそう 代 もっと多くの物[人]
- **morning** 名 朝,午前
- **mortar** 名 うす（臼）
- **most** 形 ①最も多い ②たいていの,大部分の 代 ①大部分,ほとんど ②最多数,最大限 副 最も（多く）**most welcome** 大歓迎
- **mother** 名 母親
- **mountain** 名 山 **Crackle Crackle Mountain** パチパチ山 **Kachi Kachi Mountain** カチカチ山 **Mountain in Back** 裏山 **Mountain in Front** 前山 **mountain pass** 山道,峠
- **mouth** 名 ①口 ②言葉,発言
- **move** 動 ①動く,動かす ②感動させる ③引っ越す,移動する 名 ①動き,運動 ②転居,移動
- **much** 形（量・程度が）多くの,多量の 副 ①とても,たいへん ②《比較級・最上級を修飾して》ずっと,はるかに
- **mud** 名 ①泥,ぬかるみ ②つまらぬもの
- **must** 助 ①～しなければならない ②～に違いない 名 絶対に必要なこと[もの]

WORD LIST

- **my** 代 私の

N

- **name** 名 ①名前 ②名声 動 名前をつける
- **Naniwa** 名 なにわ(大阪)
- **near** 前 ～の近くに、～のそばに 形 近い、親しい 副 近くに、親密で
- **neck** 名 首、(衣服の)えり
- **need** 動 (～を)必要とする、必要である 助 ～する必要がある
- **needle** 名 (裁縫用の)針 sewing needle 縫い針
- **neighbor** 名 隣人、隣り合うもの
- **never** 副 決して[少しも]～ない、一度も[二度と]～ない
- **New Year's** 名 元日
- **next** 形 ①次の、翌～ ②隣の 副 ①次に ②隣に
- **nice** 形 すてきな、よい、きれいな、親切な
- **night** 名 夜、晩
- **Nippon Ichi** 日本一
- **no** 副 ①いいえ、いや ②少しも～ない 形 ①～がない、少しも～ない ②～どころでない、～禁止《be》 no bigger than your finger 指ほどの大きさだ in no time (at all) すぐに、一瞬で
- **noise** 名 騒音、騒ぎ、物音
- **noon** 名 正午、真昼
- **not** 副 ～でない、～しない It is not to be. ここにはいられません。
- **nothing** 代 何も～ない[しない]
- **now** 副 ①今(では)、現在 ②今すぐに ③では、さて 名 今、現在 形 今の、現在の
- **number** 名 ①数、数字、番号 ②・号、～番 ③《-s》多数

O

- **oar** 名 オール、櫂
- **of** 前 ①《所有・所属・部分》～の、～に属する ②《性質・特徴・材料》～の、～製の ③《部分》～のうち ④《分離・除去》～から《be》afraid of ～を恐れる、～を怖がる come out of ～から出てくる of course もちろん of ones' own 自分たち自身で out of ～から作り出して、～を材料として think of ～のことを考える
- **off** 副 ①離れて ②はずれて ③止まって ④休んで fight off 戦って撃退する fly off 飛び去る push off with his chopstick 箸で漕ぎだす run off into ～の中に逃げ込む 形 ①離れて ②季節はずれの ③休みの 前 ～を離れて、～をはずれて
- **often** 副 しばしば、たびたび
- **oh** 間 ああ、おや、まあ
- **Ohime-sama** 名 お姫様《三条殿の娘》
- **old** 形 ①年取った、老いた ②～歳の ③古い、昔の 名 昔、老人 old man [woman] おじいさん[おばあさん]
- **on** 前 ①《場所・接触》～(の上)に ②《日・時》～に、～と同時に、～のすぐ後で ③《関係・従事》に関して、～について、～して 副 ①身につけて、上に ②前へ、続けて keep an eye on ～から目を離さない on the way to ～へ行く途中で pull on the oar オールを漕ぐ put on ～を…の上に置く set on fire 火をつける
- **once** 副 ①一度、1回 ②かつて once upon a time 昔々 名 一度、1回 at once すぐに、同時に
- **one** 名 1(の数字)、1人[個] 形 ①1の、1人[個]の ②ある ③《the –》唯一の 代 ①(一般の)人、ある物 ②一方、片方 ③～なもの from one to another 一方から他方へ one day ある日
- **only** 形 唯一の 副 ①単に、～にす

ぎない, ただ~だけ ②やっと 接ただし, だがしかし

- **open** 形①開いた, 広々とした ②公開された 動①開く, 始まる ②広がる, 広げる ③打ち明ける **one's mouth fall open** 口が開いたままになる **open up** 開ける
- **or** 接①~か…, または ②さもないと ③すなわち, 言い換えると
- **order** 動(~するよう)命じる, 注文する
- **other** 形①ほかの, 異なった ②(2つのうち)もう一方の, (3つ以上のうち)残りの 代①ほかの人[物] ②《the-》残りの1つ 副そうでなく, 別に **each other** お互いに **in other words** すなわち, 言い換えれば
- **our** 代私たちの **of our own** 自分たち自身で
- **out** 副①外へ[に], 不在で, 離れて ②世に出て ③消えて ④すっかり 形①外の, 遠く離れた, ②公表された 前~から外へ[に] **call out** 叫ぶ **carry out** (人・物)を外へ運び出す **come out of** ~から出てくる **jump out** 飛び出る **jump out of the way** 跳んで身をかわす **make ~ out of …** ~を…から作る **make out** 認識する, 見分ける **out of** ~から作り出して, ~を材料として **out of reach** 手の届かないところに **pull out** 引き抜く, 引きずり出す **ride out to** (船に)乗って~に向かう **set out on** ~に出発する **step out of** ~から出る
- **outside** 名外部, 外側 形外部の, 外側の 副外へ, 外側に 前~の外に[で・の・へ], ~の範囲を越えて
- **over** 前①~の上の[に], ~を一面に覆って ②~を越えて, ~以上に, ~よりまさって ③~の向こう側の[に] ④~の間 副①上に, 一面に, ずっと ②終わって, すんで **climb over** ~を乗り越える **come over** やって来る **turn over** ①ひっくり返る, 転覆する ②~をひっくり返す, ~の向きを変える

- **own** 形自身の **of ones' own** 自分たち自身で

P

- **pain** 名①痛み, 苦悩 ②《-s》骨折り, 苦労
- **paint** 動~を塗る
- **parent** 名親, 《-s》両親
- **pass** 動①過ぎる, 通る ②(年月が)たつ **pass through** ~を通る, 通行する 名山道 **mountain pass** 山道, 峠
- **paste** 名①のり ②ペースト
- **peach** 名モモ(桃) **Peach Boy** 桃太郎
- **peck** 動(くちばしで)つつく, ついばむ
- **people** 名①(一般に)人々 ②民衆, 世界の人々, 国民, 民族 ③人間
- **pepper** 名①コショウ(胡椒) ②トウガラシ(唐辛子) **red hot pepper** 非常に辛い赤トウガラシ
- **person** 名①人 ②人格, 人柄
- **pheasant** 名キジ(雉)
- **pick** 動①(花・果実などを)摘む, もぐ ②選ぶ, 精選する ③つつく, ついて穴をあける, ほじくり出す ④(~を)摘み取る **pick up** 拾い上げる
- **picture** 名絵
- **piece** 名①一片, 部分 ②1個, 1本 **fall to pieces** ボロボロになる
- **pine** 名マツ(松), マツ材
- **pink** 形ピンク色の 名ピンク色
- **place** 名場所 動置く, 配置する
- **plain** 名高原, 草原
- **plant** 動植えつける
- **play** 動①遊ぶ, 競技する ②(役を)演じる **play tricks** 策をろうする
- **please** 動喜ばす, 満足させる 間

Word List

どうぞ, お願いします
- **plum** 名 セイヨウスモモ, プラム
- **point** 名 ①先, 先端 ②点 ③地点, 時点, 箇所 動 (〜を)指す, 向ける
- **pointed** 動 point (指す)の過去, 過去分詞 形 先のとがった, 鋭い
- **poor** 形 ①貧しい, 乏しい, 粗末な, 貧弱な ②劣った, へたな ③不幸で, 哀れな, 気の毒な
- **pound** 動 どんどんたたく, 打ち砕く
- **power** 名 力, 能力, 才能, 勢力, 権力
- **powerful** 形 力強い, 実力のある, 影響力のある
- **pray** 動 祈る, 懇願する pray for 〜のために祈る
- **prepare** 動 ①準備[用意]をする ②覚悟する[させる]
- **present** 名 贈り物, プレゼント
- **promise** 名 ①約束 ②有望 動 ①約束する ②見込みがある
- **pull** 動 ①引く, 引っ張る ②引きつける pull on the oar オールを漕ぐ
- **push** 動 ①押す, 押し進む, 押し進める ②進む, 突き出る push against 〜を押す push around いじめる, 手荒に扱う push away 押しのける, 押しやる push off with his chopstick 箸で漕ぎだす push up 押し上げる
- **put** 動 ①置く, のせる ②入れる, つける ③(ある状態に)する ④putの過去, 過去分詞 put in chains 鎖でつなぐ put on 〜を…の上に置く

R

- **rabbit** 名 ①ウサギ(兎), ウサギの毛皮 ②弱虫
- **raccoon** 名 アライグマ
- **race** 名 ①競争, 競走 ②人種, 種族 動 ①競争[競走]する ②疾走する
- **rafter** 名 屋根の垂木(たるき)
- **rain** 名 雨, 降雨 動 ①雨が降る ②雨のように降る[降らせる]
- **ran** 動 run (走る)の過去
- **reach** 動 ①着く, 到着する, 届く ②手を伸ばして取る out of reach 手の届かないところに reach around 手を後ろに回す reach for 〜に手を伸ばす, 〜を取ろうとする reach in 手を突っ込む
- **ready** 形 用意[準備]ができた, まさに〜しようとする, 今にも〜せんばかりの 動 用意[準備]する
- **real** 形 実際の, 実在する, 本物の 副 本当に
- **red** 形 赤い 名 赤, 赤色 red hot pepper 非常に辛い赤トウガラシ
- **remember** 動 思い出す, 覚えている, 忘れないでいる
- **rest** 名 ①休息 ②安静 ③休止, 停止 ④《the-》残り 動 ①休む, 眠る ②休止する, 静止する ③(〜に)基づいている ④(〜の)ままである
- **return** 動 帰る, 戻る, 返す 名 ①帰還, 返却 ②返答 in return お返しに
- **rice** 名 米, 飯 rice cake もち
- **rich** 形 ①富んだ, 金持ちの ②豊かな, 濃い, 深い
- **ride** 動 乗る, 乗って行く ride out to (船に)乗って〜に向かう
- **right** 形 ①正しい ②適切な ③健全な ④右(側)の 副 ①まっすぐに, すぐに ②右(側)に ③ちょうど, 正確に march right through 〜を一気に通り抜ける march right up to 〜まで一気に進む right away すぐに right before one's eyes 目の前で
- **rise up to the air** 熟 空中に上る
- **river** 名 ①川 ②(溶岩などの)大量流出
- **rock** 名 ①岩, 岸壁, 岩石 ②揺れる

Long-ago Stories of Japan vol.1

- こと, 動揺 動揺れる, 揺らす
- **rode** 動 ride (乗る) の過去
- **roll** 動 ①転がる, 転がす ②(波などが)うねる, 横揺れする ③(時が)たつ 名 ①一巻き ②名簿, 目録
- **room** 名 ①部屋 ②空間, 余地
- **rope** 名 綱, なわ, ロープ 動 なわで縛る
- **rose** 名 ①バラ(の花) ②バラ色 形 バラ色の 動 rise (昇る) の過去
- **round** 形 ①丸い, 円形の ②ちょうど 動 ①丸くなる[する] ②回る
- **row** 動 (舟を)こぐ
- **run** 動 走る **run away** 走り去る, 逃げ出す **run for one's life** 一目散に逃げる **run off into** の中に逃げ込む **run through** 走り抜ける **run up** 駆け寄る

S

- **sad** 形 ①悲しい, 悲しげな ②惨めな, 不運な
- **sadly** 副 悲しそうに, 不幸にも
- **safe** 形 ①安全な, 危険のない ②用心深い, 慎重な 名 金庫
- **said** 動 say (言う) の過去, 過去分詞
- **sail** 動 帆走する, 航海する, 出航する
- **same** 形 同じ, 同様の 副 《the-》同様に
- **sang** 動 sing (歌う) の過去
- **Sanjo** 名 三条《京都の東西の通りの名》 **Lord Sanjo** 三条殿《人名》
- **sat** 動 sit (座る) の過去, 過去分詞
- **save** 動 ①救う, 守る ②とっておく, 節約する
- **saw** 動 see (見る) の過去
- **say** 動 言う, 口に出す 間 さあ, まあ
- **scratch** 動 ひっかく, 傷をつける, はがし取る 名 ひっかき傷, かくこと

- **sea** 名 海,《the ~ S-, the S- of ~》~海
- **seat** 名 席, 座席, 位置 動 着席させる, すえつける
- **secret** 形 ①秘密の, 隠れた ②神秘の, 不思議な 名 秘密, 神秘
- **see** 動 ①見る, 見える, 見物する ②(~と)わかる, 認識する, 経験する ③会う ④考える, 確かめる, 調べる ⑤気をつける
- **seed** 名 種 動 種をまく
- **sell** 動 売る, 売っている, 売れる
- **send** 動 送る, 届ける
- **serve** 動 食事[飲み物]を出す
- **set** 動 ①置く, 当てる, つける ②整える, 設定する ③(太陽・月などが)沈む ④(~を…の状態に)する, させる ⑤set の過去, 過去分詞 **set down** を下に置く **set on fire** 火をつける **set out on** ~に出発する
- **seven** 名 7 (の数字), 7人[個] 形 7の, 7人[個]の
- **sewing** 名 裁縫, 縫い物 **sewing needle** 縫い針
- **shall** 助 ~しよう, ~させよう
- **shaped** 形 ~の形をした
- **share** 名 ①分け前, 分担 ②株 動 分配する, 共有する
- **she** 代 彼女は[が]
- **ship** 名 船, 飛行船 動 ①船に積む, 運送する ②乗船する
- **Shiro** 名 シロ《犬の名》
- **shock** 名 衝撃, ショック 動 ショックを与える
- **shop** 名 ①店, 小売り店 ②仕事場 動 買い物をする
- **should** 助 ~すべきである, ~したほうがよい
- **shout** 動 叫ぶ, 大声で言う, どなりつける 名 叫び, 大声, 悲鳴
- **show** 動 見せる, 示す, 見える
- **shrine** 名 神社

WORD LIST

- **silver** 名銀, 銀貨, 銀色 形銀製の
- **since** 接①〜以来 ②〜だから
- **sir** 名①〜殿, あなたさま, 先生《目上の男性, 客などに対する呼びかけ》
- **sit** 動①座る, 腰掛ける ②止まる ③位置する
- **size** 名寸法, サイズ 動(大きさに従って)分類する, 測る
- **sky** 名①空, 天空, 大空 ②天気, 空模様, 気候
- **slow** 形遅い 副遅く, ゆっくりと 動遅くする, 速度を落とす
- **small** 形①小さい, 少ない ②取るに足りない 副小さく, 細かく
- **smell** 動①(〜の)においがする ②においをかぐ ③かぎつける, 感づく 名①嗅覚 ②におい, 香り
- **smile** 動微笑する, にっこり笑う 名微笑, ほほえみ
- **snow** 名雪 動雪が降る
- **snowy** 形雪の多い, 雪のように白い
- **so** 副①とても ②同様に, 〜もまた ③《先行する句・節の代用》そのように, そう 接①だから, それで ②では, さて
- **soft** 形①柔らかい, 手ざわり[口あたり]のよい ②温和な, 落ち着いた ③(処分などが)厳しくない, 手ぬるい, 甘い
- **sold** 動 sell (売る)の過去, 過去分詞
- **some** 形①いくつかの, 多少の ②ある, 誰か, 何か 副約, およそ 代①いくつか ②ある人[物]たち
- **something** 代①ある物, 何か ②いくぶん, 多少
- **sometimes** 副時々, 時たま
- **somewhere** 副①どこかへ[に] ②いつか, いつも
- **son** 名息子, 子弟, 〜の子
- **soon** 副まもなく, すぐに, すみやかに as soon as 〜 〜するとすぐ
- **sorry** 形気の毒に[申し訳なく]思う, 残念な
- **sound** 名音, 騒音, 響き, サウンド 動①音がする, 鳴る ②(〜のように)思われる, (〜と)聞こえる
- **soup** 名スープ, 汁 tanuki soup 狸汁 soup bowl お碗
- **spark** 名①火花 ②ひらめき, 輝き 動火花を出す, スパークする
- **speak** 動話す, 言う
- **speaking** 動 speak (話す)の現在分詞
- **spend** 動①(金などを)使う, 消費[浪費]する ②(時を)過ごす
- **spent** 動 spend (使う)の過去, 過去分詞 形使い果たした, 疲れ切った
- **spoke** 動 speak (話す)の過去
- **spread** 動①広がる, 広げる, 伸び, 伸ばす ②塗る, まく, 散布する 名広がり, 拡大
- **spring** 名①春 ②泉, 源 ③ばね, ぜんまい 動跳ねる, 跳ぶ
- **stand** 動立つ, 立たせる, 立っている, ある stand one's ground しっかり大地に足をすえる
- **start** 動始める, 開始する
- **stay** 動①とどまる, 泊まる, 滞在する ②持続する, (〜の)ままでいる 名滞在
- **steady** 形①しっかりした, 安定した, 落ち着いた ②堅実な, まじめな
- **steer** 動舵をとる, 操縦する
- **step** 名①歩み, 1歩(の距離) ②段階 ③踏み段, 階段 動歩む, 踏む step back 後ずさりする, 後に下がる step out of 〜から出る
- **still** 副①まだ, 今でも ②それでも(なお) 形静止した, 静かな
- **stood** 動 stand (立つ)の過去, 過去分詞
- **stop** 動①やめる, やめさせる, 止める, 止まる ②立ち止まる
- **story** 名物語, 話

99

- **straight** 形①一直線の, まっすぐな, 直立[垂直]の ②率直な, 整然とした 副①一直線に, まっすぐに, 垂直に ②率直に 名一直線, ストレート
- **strange** 形①知らない, 見[聞き]慣れない ②奇妙な, 変わった
- **straw** 名麦わら
- **street** 名街路
- **strong** 形①強い, 堅固な, 強烈な ②濃い ③得意な 副強く, 猛烈に
- **study** 動①勉強する, 研究する ②調べる 名①勉強, 研究 ②書斎
- **such** 形①そのような, このような ②そんなに, とても, 非常に
- **sudden** 形突然の, 急な
- **suddenly** 副突然, 急に
- **suit** 名ひとそろい, 一組 suit of armor よろい一揃い
- **Sumiyoshi Shrine** 名住吉神社
- **summer** 名夏
- **sumo wrestler** 名相撲取り, 力士
- **sun** 名《the-》太陽, 日 under the sun 青空の下で
- **sure** 形確かな, 確実な 副確かに, まったく, 本当に sure enough 思ったとおり, 確かに
- **surprised** 形驚いた
- **sweet** 形甘い
- **swim** 動泳ぐ 名泳ぎ
- **sword** 名①剣, 刀 ②武力

T

- **table** 名①テーブル, 食卓, 台 ②一覧表 動卓上に置く, 棚上げにする
- **take** 動①取る, 持つ ②持って[連れて]いく, 捕らえる take away 取り上げる, 奪い去る take back 取り戻す
- **tall** 形高い, 背の高い
- **tanuki** 名タヌキ(狸) tanuki soup 狸汁
- **taught** 動 teach(教える)の過去, 過去分詞
- **tear** 名涙 in tears 涙を流しながら
- **teeth** 名 tooth(歯)の複数
- **temple** 名寺
- **ten** 名10(の数字), 10人[個] 形10の, 10人[個]の
- **terrible** 形恐ろしい, ひどい, ものすごい, つらい
- **than** 接~よりも, ~以上に《be》 no bigger than your finger 指ほどの大きさだ
- **thank** 動感謝する, 礼を言う 名《-s》感謝, 謝意 thanks to ~ ~のおかげで
- **that** 形その, あの 代①それ, あれ, その[あの]人[物] ②《関係代名詞》~である… 接~ということ, ~なので, ~だから 副そんなに, それほど
- **the** 冠①その, あの ②《形容詞の前で》~な人々 副《-+比較級, -+比較級》~すればするほど…
- **their** 代彼(女)らの, それらの
- **them** 代彼(女)らを[に], それらを[に]
- **themselves** 代彼(女)ら自身, それら自身 care only about themselves 自分のことしか考えない
- **then** 副その時(に・は), それから, 次に 名その時 形その当時の
- **there** 副①そこに[で・の], そこへ, あそこへ ②《-is[are]~》~がある[いる] 名そこ
- **these** 代これら, これ 形これらの, この
- **they** 代①彼(女)らは[が], それらは[が] ②(一般の)人々は[が]
- **thick** 形厚い, 密集した, 濃厚な 副厚く, 濃く

WORD LIST

- **thing** 名①物, 事 ②《-s》事情, 事柄 ③《one's -s》持ち物, 身の回り品 ④人, やつ
- **think** 動思う, 考える **think of** のことを考える
- **third** 名第3(の人[物]) 形第3の, 3番の
- **this** 形①この, こちらの, これを ②今の, 現在の 代①これ, この人[物] ②今, ここ
- **those** 形それらの, あれらの **in those days** その当時 代それら[あれら]の人[物]
- **thought** 動think (思う)の過去, 過去分詞 名考え, 意見
- **three** 名3(の数字), 3人[個] 形3の, 3人[個]の
- **threw** 動throw (投げる)の過去
- **through** 前〜を通して, 〜中を[に], 〜中 副①通して ②終わりまで, まったく, すっかり **break through** 〜を打ち破る **get through** 乗り切る **march right through** 〜を一気に通り抜ける **pass through** 〜を通る, 通行する **run through** 走り抜ける
- **throw** 動投げる **throw down** 投げ出す, 放棄する
- **tie** 動結ぶ, 束縛する
- **time** 名①時, 時間, 歳月 ②時期 ③期間 ④時代 **at that time** その時 **by the time** 〜する時までに **in no time (at all)** すぐに, 一瞬で **in time** やがて **once upon a time** むかしむかし
- **tired** 動tire (疲れる)の過去, 過去分詞 形①疲れた, くたびれた ②あきた, うんざりした
- **to** 前①《方向・変化》〜へ, 〜に, 〜の方へ ②《程度・時間》〜まで ③《適合・付加・所属》〜に ④《−＋動詞の原形》-するために[の], 〜する, 〜すること
- **today** 名今日 副今日(で)は

- **together** 副①一緒に, ともに ②同時に
- **told** 動tell (話す)の過去, 過去分詞
- **tomorrow** 名明日 副明日は
- **too** 副①〜も(また) ②あまりに〜すぎる, とても〜
- **took** 動take (取る)の過去
- **top** 名頂上, 首位
- **toward** 前①《運動の方向・位置》〜の方へ, 〜に向かって ②《目的》〜のために
- **tower** 名塔, やぐら, 砦
- **town** 名町, 都会, 都市
- **trap** 名わな, 策略
- **travel** 動①旅行する ②進む, 移動する[させる], 伝わる 名旅行, 運行
- **treasure** 名財宝, 貴重品, 宝物
- **tree** 名①木, 樹木, 木製のもの ②系図
- **trick** 名①策略 ②いたずら, 冗談 ③手品, 錯覚 **play tricks** 策をろうする
- **trip** 名(短い)旅行
- **trouble** 名①困難, 迷惑 ②心配, 苦労 ③もめごと
- **true** 形①本当の, 本物の, 真の ②誠実な, 確かな **come true** 実現する
- **trunk** 名①幹, 胴 ②本体, 主要部分 ③トランク, 旅行かばん
- **try** 動①やってみる, 試みる ②努力する, 努める
- **tub** 名桶, 浴槽
- **tunnel** 名トンネル
- **turn** 動①ひっくり返す, 回転する[させる], 曲がる, 曲げる, 向かう, 向ける ②(〜に)なる, (〜に)変える **turn around** 振り向く, 向きを変える, 方向転換する **turn back** 元に戻る **turn over** ①ひっくり返る, 転覆する ②をひっくり返す, 〜の向きを変える 名順番

- □ **twelve** 名 12(の数字), 12人[個] 形 12の, 12人[個]の
- □ **two** 名 2(の数字), 2人[個] 形 2の, 2人[個]の

U

- □ **under** 前 ①《位置》〜の下[に] ②《状態》〜で, 〜を受けて, 〜のもと ③《数量》〜以下[未満]の, 〜より下の under the sun 青空の下で
- □ **untie** 動 ほどく, 解放する
- □ **until** 前 〜まで(ずっと) 接 〜の時まで, 〜するまで
- □ **up** 副 ①上へ, 上がって, 北へ ②立って, 近づいて ③向上して, 増して 前 ①〜の上(の方)へ, 高い方へ ②(道)に沿って 形 上向きの, 上りの all the way up (途中)ずっと dig up 掘り起こす, 掘り出す give up あきらめる go up 登る grow up 成長する, 大人になる hold up 〜を持ち上げる jump up and down 飛び跳ねる look up 見上げる march right up to 〜まで一気に進む open up 開ける push up 押し上げる rise up into the air 空中に上る run up 駆け寄る walk up 歩いて上る
- □ **upon** 前 ①《場所・接触》〜(の上)に ②《日・時》〜に ③《関係・従事》〜に関して, 〜について, 〜して once upon a time むかしむかし
- □ **us** 代 私たちを[に]
- □ **use** 動 ①使う, 用いる ②費やす

V

- □ **very** 副 とても, 非常に, まったく very well 結構, よろしい
- □ **village** 名 村, 村落
- □ **voice** 名 声, 音声

W

- □ **waaaaah** 間 わああああああ《赤ん坊(桃太郎)の泣き声》
- □ **wait** 動 ①待つ, 《–for 〜》〜を待つ
- □ **walk** 動 歩く, 歩かせる, 散歩する walk along (前へ)歩く walk up 歩いて上る
- □ **wall** 名 ①壁, 塀 ②障壁 動 壁[塀]で囲む, ふさぐ
- □ **want** 動 ほしい, 望む, 〜したい, 〜してほしい 名 欠乏, 不足
- □ **war** 名 戦争(状態), 闘争, 不和
- □ **warm** 形 ①暖かい, 温暖な ②思いやりのある, 愛情のある 動 暖まる, 暖める
- □ **was** 動《beの第1・第3人称単数現在am, isの過去》〜であった, (〜に)いた[あった]
- □ **wash** 動 ①洗う, 洗濯する ②押し流す"
- □ **waste** 名 くず, 廃物
- □ **watch** 動 ①じっと見る, 見物する ②注意[用心]する, 監視する 名 警戒, 見張り
- □ **water** 名 ①水 ②(川・湖・海などの)多量の水
- □ **wave** 動 (手などを振って)合図する
- □ **way** 名 ①道, 通り道 ②方向, 距離 ③方法, 手段 all the way up (途中)ずっと jump out of the way 跳んで身をかわす lose one's way 道に迷う on the way to 〜へ行く途中で
- □ **we** 代 私たちは[が]
- □ **weak** 形 ①弱い, 力のない, 病弱な ②劣った, へたな, 苦手な weak of heart 意気地がない
- □ **weather** 名 天気, 天候, 空模様
- □ **weave** 動 織る, 編む
- □ **welcome** 間 ようこそ 形 歓迎される You're most welcome. 大歓迎です。

WORD LIST

- **well** 副①うまく, 上手に ②十分に, よく, かなり **very well** 結構, よろしい 間へえ, まあ, ええと
- **went** 動 go（行く）の過去
- **were** 動《be の 2 人称単数・複数の過去》~であった, (~に) いた [あった]
- **what** 代①何が [を・に] ②《関係代名詞》~するところのもの [こと] 形①何の, どんな ②なんと ③~するだけの 副いかに, どれほど
- **whatever** 代①《関係代名詞》~するものは何でも ②どんなこと [もの] が~とも **whatever for** いったい何のために 形①どんな~でも ②《否定文・疑問文で》少しの~も, 何らかの
- **when** 副①いつ ②《関係副詞》~するところの, ~するとその時, ~するとき 接~の時, ~するとき 代いつ
- **where** 副①どこに [で] ②《関係副詞》~するところの, そしてそこで, ~するところ 接~なところに [へ], ~するところに [へ] 代①どこ, どの点 ②~するところ
- **while** 接①~の間 (に), ~する間 (に) ②一方, ~なのに 名しばらくの間, 一定の時 **after a while** しばらくして **for a while** しばらくの間, 少しの間
- **whirr** 名ヒュー [ビュー, ブンブン] という音
- **white** 形①白い, (顔色などが) 青ざめた ②白人の 名白, 白色
- **who** 代①誰が [は], どの人 ②《関係代名詞》~するところの (人)
- **whole** 形全体の, すべての, 完全な, 満~, 丸~ 名《the -》全体, 全部
- **why** 副なぜ, どうして 間①おや, まあ ②もちろん, なんだって
- **wide** 形幅の広い, 広範囲の, 幅が~ある 副広く, 大きく開いて
- **wife** 名妻

- **will** 助~だろう, ~しよう, する (つもりだ)
- **win** 動勝つ, 獲得する, 達する 名勝利, 成功
- **wind** 名①風 ②うねり, 一巻き 動巻く, からみつく, うねる
- **wing** 名翼, 羽
- **winter** 名冬 動冬を過ごす
- **wish** 動望む, 願う, (~であればよいと) 思う **as you wish** 望み通りに **wish for** 所望する 名 (心からの) 願い
- **with** 前①《同伴・付随・所属》~と一緒に, ~を身につけて, ~とともに ②《様態》~ (の状態) で, ~して ③《手段・道具》~で, ~を使って **along with** ~と一緒に **get away with** うまく逃れる, やり過ごす **go with** ~によく合う
- **without** 前~なしで, ~がなく, ~しないで
- **woman** 名 (成人した) 女性, 婦人
- **women** 名 woman (女性) の複数
- **won** 動 win (勝つ) の過去, 過去分詞
- **won't** will not の短縮形
- **wonderful** 形驚くべき, すばらしい, すてきな
- **wood** 名①《しばしば -s》森, 林 ②木材, まき
- **wooden** 形木製の, 木でできた
- **woods** 名森
- **word** 名①語, 単語 ②ひと言 ③《one's -》約束 **give someone one's word** (人) に約束する **in other words** すなわち, 言い換えれば
- **work** 動働く, 勉強する, 取り組む 名①仕事, 勉強 ②職
- **world** 名《the -》世界, ~界
- **worried** 動 worry (悩む) の過去, 過去分詞 形心配そうな, 不安げな
- **worry** 動悩む, 悩ませる, 心配する

103

[させる] 名苦労, 心配
- **would** 助《willの過去》①〜するだろう, 〜するつもりだ ②〜したものだ
- **wrestler** 名レスリング選手 **sumo wrestler** 相撲取り, 力士
- **wrong** 形①間違った, (道徳上)悪い ②調子が悪い, 故障した

Y

- **year** 名年 **New Year's** 元日
- **yes** 副はい, そうです 名肯定の言葉[返事]
- **yesterday** 名①昨日 ②過ぎし日, 昨今 副昨日(は)
- **yet** 副①《否定文で》まだ〜(ない[しない]) ②《疑問文で》もう ③《肯定文で》まだ, 今もなお **and yet** それなのに, それにもかかわらず 接それにもかかわらず, しかし, けれども
- **you** 代①あなた(方)は[が], あなた(方)を[に] ②(一般に)人は
- **young** 形若い, 幼い, 青年の
- **your** 代あなた(方)の **your lordship**《呼びかけ》お殿様
- **yourself** 代あなた自身

ラダーシリーズ
Long-ago Stories of Japan vol.1
日本昔話 1 桃太郎ほか

2009 年 7 月 11 日　第 1 刷発行
2011 年 7 月 30 日　第 4 刷発行

著　者　カルラ・ヴァレンタイン

発行者　浦　　晋亮

発行所　**IBC パブリッシング株式会社**
　　　　〒162-0804 東京都新宿区中里町 29 番 3 号
　　　　菱秀神楽坂ビル 9 F
　　　　Tel. 03-3513-4511　Fax. 03-3513-4512
　　　　www.ibcpub.co.jp

© Ralph McCarthy 2009
© IBC Publishing, Inc. 2009

印刷　Chong-A Printing co.
装丁　伊藤 理恵　　イラスト　横井 智美
編集協力　Jonathan Lloyd-Owen, 伊藤 幸男
組版データ　Berkeley Oldstyle Medium + ITC Isadora Regular

落丁本・乱丁本は、小社宛にお送りください。送料小社負担にてお取り替えいたします。本書の無断複写（コピー）は著作権法上での例外を除き禁じられています。

Printed in Korea
ISBN978-4-7946-0007-3